D0285112

Victor Hugo

Claude Gueux

Édition présentée, établie et annotée par Arnaud Laster

Gallimard

PRÉFACE

Quelques jours après la parution d'une nouvelle œuvre de Hugo, le 6 juillet 1834, Franz Liszt la recommande vivement à Marie d'Agoult : « Lisez donc son Claude Gueux *dans la* Revue de Paris *de dimanche. Cela est terriblement beau. Il me disait hier qu'il allait suivre cette veine-là... Vous souvient-il de notre promenade de faubourgs et de la demande que je vous fis au sujet d'un roman ou d'une nouvelle* populaire ? Je suis bien content de voir réaliser un de mes rêves par un homme aussi fort que V.H.[1] »*

Témoignage ô combien intéressant et resté bien méconnu de ceux qui ont à juste titre considéré Claude Gueux *comme un jalon sur la route menant Hugo vers la rédaction d'un roman qui deviendra* Les Misérables. *Dès 1834, Hugo annonce à son ami musicien qu'il va continuer dans la voie populaire ouverte par ce récit que Liszt semble hésiter à appeler roman ou nouvelle. Moins d'un mois plus*

---

1. *Correspondance de Liszt et de Mme d'Agoult*, t. I, éd. de Daniel Ollivier, Bernard Grasset, 1933, p. 105.

*tard, il visitera le bagne de Brest et peu après pren-
dra des notes sur la famille de Miollis[1], dont fait
partie Charles-François Bienvenu, évêque de Digne
de 1806 à 1818, modèle de Myriel. Même si rien ne
prouve qu'un scénario du roman que Hugo com-
mencera à rédiger en 1845 est déjà esquissé, voire
seulement à l'état d'ébauche, on voit rétrospectivement se mettre en place les éléments d'une genèse.*

De *Claude Gueux* aux *Misérables*

*Le nom même de Claude Gueux comporte une
dualité de sens analogue à celle du mot dont
Hugo fera le titre de son grand roman de 1862 et
qui lui inspirera cette réflexion : « il y a un point
où les infortunés et les infâmes se mêlent et se
confondent dans un seul mot, mot fatal, les misérables[2] ». « Gueux » se dit, selon l'édition de 1835
du* Dictionnaire de l'Académie française, *« d'une
personne qui n'a pas de quoi vivre selon son état,
selon ses désirs » ; substantif, il se dit aussi de
« celui qui demande l'aumône, qui fait le métier de
quémander » ; adjectif, il signifie « indigent, néces-
siteux, qui est réduit à mendier ». Mais le mot est
présenté comme « familier » et marquant « plus
de mépris que de pitié ». D'ailleurs, substantif, il
« signifie, quelquefois, coquin, fripon. » D'où la*

1. Voir « Documents » dans *Œuvres complètes*, *Chantiers*,
Robert Laffont, coll. « Bouquins », 1985, p. 917-918.
2. *Les Misérables*, 3ᵉ partie, livre 8ᵉ, chap. v, « Folio classique », t. II, p. 330.

méfiance a priori, *que Hugo signale, de plusieurs des jurés à l'encontre de l'accusé.*

   Dans Les Misérables, *ayant retracé l'itinéraire qui mène au bagne Jean Valjean, Hugo le commente lui-même comme s'il s'agissait d'une personne réelle et fait le lien avec Claude Gueux :* « C'est la seconde fois que, dans ses études sur la question pénale et sur la damnation par la loi, l'auteur de ce livre rencontre le vol d'un pain, comme point de départ du désastre d'une destinée. Claude Gueux avait volé un pain ; Jean Valjean avait volé un pain ; une statistique anglaise constate qu'à Londres quatre vols sur cinq ont pour cause immédiate la faim[1]. » *Chose curieuse, il semble oublier que, dans* Le Dernier Jour d'un condamné *publié en 1829, le* « friauche », *personnage d'invention il est vrai, et* « récidiviste », *avait, lui aussi, volé un pain[2], tandis qu'en 1834, il avait indiqué, en tant que narrateur, ne pas savoir ce que Claude Gueux avait volé mais seulement que* « de ce vol il résulta trois jours de pain et de feu » *pour sa compagne et leur enfant. De Valjean, qui n'a pas appris à lire mais a* « la lumière naturelle [...] allumée en lui[3] », *Hugo aurait pu écrire ce qu'il dit de Gueux :* « fort mal traité par l'éducation, fort bien traité par la nature » ; *comme Gueux, Valjean se trouve, un hiver, sans ouvrage, et sa famille (une sœur et les sept enfants de celle-ci) sans pain. Son premier vol*

   1. *Les Misérables*, 1ᵉ partie, livre 2ᵉ, chap. VI, « Folio classique », t. I, p. 149.
   2. Voir le chap. XXIII, « Folio classique », p. 96.
   3. *Les Misérables*, 1ᵉ partie, livre 2ᵉ, chap. VII, « Folio classique », t. I, p. 149.

*a un mobile analogue : donner de quoi manger aux
enfants de sa sœur. Sa condamnation, comme celle
de Gueux, plonge ses proches dans la détresse*[1]*.
Et au bagne il se constitue « tribunal*[2] *» comme
Gueux à Clairvaux. Le parcours qui l'y a mené est
même, à certains égards, plus proche de celui du
Claude Gueux réel, tel que l'on a pu le reconstituer
à la lumière de documents sans doute ignorés de
Hugo à l'époque où il raconta son histoire, que de
celui du personnage tel qu'il l'a présenté. Né dans
une « pauvre famille de paysans », sans « bonne
amie », se louant au hasard des opportunités, il
est condamné pour « vol avec effraction la nuit
dans une maison habitée*[3] *», motif de la deuxième
condamnation du vrai Claude Gueux, en 1823. Le
bagne est aussi néfaste à Valjean que la prison à
Claude. Il en sort, la haine au cœur, fortifiée par
l'instruction que, à la différence de Gueux, il y a
acquise*[4]*. Preuve de plus, après celle qu'offrait la
destinée de Ruy Blas, du fait que l'éducation ne suf-
fit pas à assurer l'émancipation des individus et le
progrès général. Valjean se heurte à l'inflexibilité de
Javert, comme Gueux à celle du directeur des ateliers,
en réalité gardien-chef de Clairvaux. Javert n'est pas
sans rappeler, par sa ténacité et son obstination,
M. D. ; avant d'être inspecteur, il a d'ailleurs été
« adjudant-garde-chiourme » au bagne de Toulon*[5]*.

1. Voir *ibid.*, chap. VI, p. 145 et 147.
2. *Ibid.*, chap. VII, p. 149.
3. *Ibid.*, chap. VI, p. 143 et 145.
4. Voir *ibid.*, chap. VII, p. 151.
5. *Ibid.*, 1ᵉ partie, livre 6ᵉ, chap. II, « Folio classique », t. I,
p. 286.

Mais il est plus l'incarnation de la loi dans toute
sa rigidité et son aveuglement que celle du pouvoir
arbitraire et Valjean, loin de le tuer quand il en
aura la possibilité, le libèrera, déstabilisant le poli-
cier qui, « déraillé », se suicidera[1].

Comment Hugo en est venu
à *Claude Gueux*

Claude Gueux *ne vaut pas seulement comme
jalon vers* Les Misérables. *Il est aussi révélateur
d'un moment du parcours de l'auteur, qu'il importe
de situer aussi exactement que possible. La première étape en est connue, il l'a retracée ainsi :
« Nous autres enfants nés sous le consulat, nous
avons tous grandi sur les genoux de nos mères,
nos pères étant au camp [...]. / L'acclamation qui
a salué Louis XVIII en 1814, ça a été un cri de joie
des mères. / En général, il est peu d'adolescents de
notre génération qui n'aient sucé avec le lait de
leurs mères la haine des deux époques violentes qui
ont précédé la restauration[2]. » Le jeune Hugo, élevé
par sa mère dans la haine du tyran Napoléon Ier,
responsable de l'exécution de son parrain, le général
Lahorie, qui avait conspiré contre lui, a accueilli le
retour de la monarchie comme une libération et a
partagé les idées des ultra-légitimistes et de l'écri-*

---

1. Voir *ibid.*, 5e partie, livre 1er, chap. XIX et livre 4e, t. III,
p. 289 à 291 et 384 à 397.
2. *Littérature et Philosophie mêlées*, note datée de décembre
1820, dans *Œuvres complètes*, *Critique*, éd. « Bouquins »,
op. cit., p. 118.

vain qu'il admirait entre tous, Chateaubriand. L'opposition de sa mère à son mariage puis la mort de
celle-ci l'ont rapproché de son père et ont fait peu
à peu évoluer son point de vue sur l'Empereur. Le
drame qu'il compose en 1827 – année où il atteint
« l'âge d'homme » (25 ans à l'époque) – autour du
personnage de Cromwell, régicide et tenté de se faire
couronner, est imprégné d'une ironie qui n'épargne
ni les républicains ni les monarchistes et témoigne
des distances qui se sont creusées en lui avec le
royalisme de son adolescence. La préface du drame
préconise le mélange du grotesque et du sublime,
minant le respect des hiérarchies et ouvrant la voie
à l'exercice d'un esprit critique sans limite.

Un quart de siècle plus tard, passant en revue « les
phases successives » que sa conscience « a traver-
sées[1] », Hugo, qui se définira alors rétrospectivement
comme « royaliste » en 1818, « royaliste libéral » en
1824, « libéral » en 1827, datera donc implicitement
de l'époque de la rédaction de Cromwell la fin de
son royalisme. On a eu souvent tendance à considérer cette note comme une façon de réécrire son
parcours en présentant son évolution comme plus
précoce qu'elle ne l'avait été en réalité. Même si la
prise de conscience a pu ne pas être aussi claire
sur le moment, il entre pourtant une bonne part de
vérité dans cet abandon du royalisme en 1827.

La phase suivante – « libéral-socialiste » – est
associée par le Hugo du début de l'exil à 1828. Socia-

1. Voir « Portefeuille critique » dans l'édition chronologique des *Œuvres complètes* de Victor Hugo, dir. Jean Massin,
Le Club français du livre, t. IX, 1968, p. 1019-1020.

liste, il ne s'est certainement pas reconnu comme tel à cette date, ne serait-ce que parce que le mot n'est pas encore vraiment en circulation. Mais plus de quarante ans après, en 1869, il déclare à la tribune du Congrès de la paix de Lausanne : « Moi qui vous parle, citoyens, je ne suis pas ce qu'on appelait autrefois un républicain de la veille, mais je suis un socialiste de l'avant-veille. Mon socialisme date de 1828. » Et pour parer à toute objection, il précise que le socialisme, « en même temps qu'il pose l'importante question du travail et du salaire, [...] proclame l'inviolabilité de la vie humaine, l'abolition du meurtre sous toutes ses formes, la résorption de la pénalité par l'éducation[1] ». Le Dernier Jour d'un condamné, *dont Hugo entreprend la rédaction en octobre 1828 et qui sera publié en février 1829, marque en effet le début d'un combat qui met la société devant ses responsabilités. En confrontant le lecteur avec un homme qu'attend l'échafaud, Hugo l'amène à partager sa révolte contre ce meurtre légal et un pouvoir qui n'use pas de son droit de grâce. Le changement absolu d'opinion qu'enregistre Vigny le 23 mai 1829, dans son* Journal, *est sans doute moins soudain qu'il ne le croit, mais son témoignage, dont je ne retiendrai que la dimension politique, me semble devoir être mieux pris en compte qu'on ne le fait habituellement :*

En 1822, lorsque parurent ses *Odes* réunies, Victor Hugo se donnait pour vendéen [...] ; alors

---

1. *Actes et Paroles II*, « Pendant l'exil », dans *Œuvres complètes*, *Politique*, éd. « Bouquins », *op. cit.*, p. 626.

il rédigeait *Le Conservateur littéraire* : [...] M. de Chateaubriand était son dieu [...]. M. de Lamennais fut son second prophète : il fut alors presque jésuite et crut en lui.

Aujourd'hui, il vient de me déclarer que, toutes réflexions faites, il quittait le côté droit et m'a parlé des vertus de Benjamin Constant. [...] Le Victor que j'aimais n'est plus. Il était un peu fanatique de dévotion et du royalisme [...] À présent, [...] il se fait libéral[1].

Observation que confirmera Hugo dans son propre Journal des idées et des opinions d'un révolutionnaire de 1830 *: « Mon ancienne conviction royaliste-catholique de 1820 s'est écroulée pièce à pièce depuis dix ans devant l'âge et l'expérience[2]. » Voilà qui corrobore le diagnostic posé* a posteriori *par Hugo sur les phases de son évolution.*

La dérision qui, dans Marion de Lorme, *rédigé en juin 1829, s'attache à la représentation de Louis XIII, traité par son propre fou de pantin aux mains de Richelieu, échappe si peu aux censeurs et au roi Charles X que la pièce est interdite en août. Hugo refuse les compensations qui lui sont offertes : position politique au Conseil d'État, place dans l'administration, triplement de sa pension. « La jeunesse n'est pas aussi facile à corrompre que l'espèrent MM. les ministres », commente* Le

---

1. Extrait du *Journal d'un poète*, reproduit dans les « Documents divers », *Œuvres complètes*, éd. Massin, *op. cit.*, t. III, 1967, p. 1379.
2. *Littérature et Philosophie mêlées*, note datée de septembre 1830, dans *Œuvres complètes, Critique*, éd. « Bouquins », *op. cit.*, p. 122.

Constitutionnel. *Loin de se soumettre, Hugo se lance dans l'écriture d'un drame au moins aussi peu respectueux que le précédent :* Hernani. *Le Comité du Théâtre-Français trouve inconvenant que « le roi s'exprime souvent comme un bandit » et que « le bandit traite le roi comme un brigand ». La censure exige le remplacement du vers : « Crois-tu donc que les rois, à moi, me sont sacrés ! », mais laisse subsister, après arbitrage du ministre de l'Intérieur, des « expressions insolentes » adressées à Don Carlos, dont elle demandait la suppression : « lâche » (v. 559), « vous êtes insensé » (v. 565) ou « vous êtes / Un mauvais roi » (v. 1206-1207)*[1]. *On sait néanmoins la bataille que susciteront les représentations de la pièce. La politique y a sa part. Dans sa préface du drame, Hugo prend date, en quelque sorte :*

> La liberté dans l'art, la liberté dans la société, voilà le double but auquel doivent tendre d'un même pas tous les esprits conséquents et logiques ; [...] la liberté littéraire est fille de la liberté politique. Ce principe est celui du siècle, et prévaudra. Les Ultras de tout genre, classiques et monarchistes, auront beau se prêter secours pour refaire l'ancien régime de toutes pièces, société et littérature ; chaque progrès du pays, chaque développement des intelligences, chaque pas de la liberté fera crouler tout ce qu'ils ont échafaudé. Et, en définitive, leurs efforts de réaction auront été utiles. En révolution, tout mouvement fait avancer[2].

1. Voir dans les « Documents divers », *Œuvres complètes*, éd. Massin, *op. cit.*, t. III, 1967, p. 1413 à 1415.
2. *Œuvres complètes*, *Théâtre*, t. I, éd. « Bouquins », *op. cit.*, p. 539-540.

*Nul opportunisme donc dans l'*Ode à la jeune France *qui célèbre en août 1830 les journées révolutionnaires de juillet. Nulle forfanterie non plus dans la lettre à un ami, dans laquelle il faisait état de sa « double réputation de libéral politique et de libéral littéraire » et de ses propos jugés incendiaires par « la petite bonne société monarchique » de Montfort-l'Amaury où il s'est installé, au lendemain des journées de juillet, avec ses enfants et sa femme sur le point d'accoucher :* « Paris a jeté bas les faiseurs de coup d'État. Plus de Polignac, plus même de Bourbon ! et ministère et dynastie, l'un coupable, l'autre aveugle, n'ont que ce qu'ils méritent ! – C'était tomber au milieu d'eux comme une bombe de Paris, comme un drapeau tricolore, comme un bonnet rouge[1]. »

Un an plus tard, dans la préface de Marion de Lorme, *datée d'août 1831, il se présente comme* « placé depuis plusieurs années dans les rangs [...] de l'opposition », « dévoué et acquis » *depuis qu'il a eu* « l'âge d'homme, à toutes les idées de progrès, d'amélioration, de liberté ». *Publiant* Les Feuilles d'automne, *Hugo leur donne une préface, datée du 24 novembre 1831, où il commence par décrire le* « moment politique » *qui comporte la remise en question de* « toutes les solutions sociales » *; il dit clairement* « sa partialité passionnée pour les peuples dans l'immense querelle qui s'agite au dix-neuvième siècle entre eux et les rois » *et annonce*

1. Lettre à Adolphe de Saint-Valry du 7 août 1830, dans *Œuvres complètes*, éd. Massin, *op. cit.*, t. IV, 1967, p. 1003.

un futur « recueil de poésie politique » inspiré par des « sympathies » et « antipathies », dont la dernière pièce de celui qu'il présente devrait permettre de juger. Or que peut-on y lire ?

> Je hais l'oppression d'une haine profonde.
> Aussi, lorsque j'entends, dans quelque coin du
>   monde,
> Sous un ciel inclément, sous un roi meurtrier,
> Un peuple qu'on égorge appeler et crier ;
> [...]
> Alors, oh ! je maudis, dans leur cour, dans leur antre,
> Ces rois dont les chevaux ont du sang jusqu'au
>   ventre !
> Je sens que le poète est leur juge ! je sens
> Que la muse indignée, avec ses poings puissants,
> Peut, comme au pilori, les lier sur leur trône
> Et leur faire un carcan de leur lâche couronne[1]

Cette déclaration de guerre aux rois est-elle pour quelque chose dans l'interdiction qui va frapper le drame suivant de Hugo, dont le titre – Le Roi s'amuse *– sonne comme une provocation ? Ce n'est pas impossible, et contre cette censure de fait, sinon de droit puisque la censure est en principe abolie, Hugo va intenter au Théâtre-Français un procès : « un rôle politique lui vient ; il ne l'a pas cherché, il l'accepte[2] ».*

Le « Discours prononcé par M. Victor Hugo devant le tribunal de commerce pour contraindre

---

1. *Les Feuilles d'automne*, XL, dans *Œuvres complètes*, *Poésie*, t. I, éd. « Bouquins », *op. cit.*, p. 673-674.
2. *Œuvres complètes*, *Théâtre*, éd. « Bouquins », *op. cit.*, p. 835.

le *Théâtre-Français à représenter et le gouvernement à laisser représenter* Le Roi s'amuse[1] »
met le poète et dramaturge en position d'avocat.
*Pourquoi n'interviendrait-il pas sous cette forme
dans le débat public ?* Comme il le fera dire à un
des personnages de son théâtre de l'exil, Edmond
Gombert, dans L'Intervention : « *Ils ne savent
pas ce qu'ils disent à la Chambre. Ils ne vont pas
au but[2].* » À défaut d'être éligible – *pour pouvoir
l'être dans le régime de suffrage censitaire qu'est
la monarchie de Juillet, il faut être propriétaire ou
détenteur d'une grande fortune* –, Hugo va inter-
peller la Chambre de diverses façons.

La préface de son drame suivant, *Lucrèce Borgia*, confirme la combativité de l'auteur : « *mettre
au jour un nouveau drame six semaines après
le drame proscrit, c'était encore une manière de
dire son fait au présent gouvernement. […] Aussi
compte-t-il bien mener de front désormais la lutte
politique, tant que besoin sera, et l'œuvre littéraire.
On peut faire en même temps son devoir et sa
tâche. L'homme a deux mains[3].* » Projet d'autant
moins contradictoire que, comme Hugo le signale
plus loin, « *il y a beaucoup de questions sociales
dans les questions littéraires, et toute œuvre est
une action[4]* ».

Le texte que Hugo place en tête de Littérature et
Philosophie mêlées, « *But de cette publication* »,
est daté du mois où paraît le livre : mars 1834. *On*

1. *Ibid.*, p. 839.
2. *Le Théâtre en liberté*, « Folio classique », p. 300.
3. « Folio théâtre », p. 35.
4. *Ibid.*, p. 39.

peut y lire ceci : « *Si jamais, dans ce grand concile
des intelligences où se débattent de la presse à la
tribune tous les intérêts généraux de la civilisation
du dix-neuvième siècle, il avait la parole, lui si petit
en présence de choses si grandes, il la prendrait
sur l'ordre du jour seulement, et il ne demanderait
qu'une chose pour commencer : la substitution
des questions sociales aux questions politiques*[1]. »
*La formule lui tient tellement à cœur qu'il la répète
dans une lettre au directeur de la* Revue du Progrès
social, *Jules Lechevalier, le 1ᵉʳ juin 1834, moins
de trois semaines avant le début de la rédaction
de* Claude Gueux *: « Concourons donc ensemble
tous, chacun dans notre région et selon notre loi
particulière, à la grande substitution des questions
sociales aux questions politiques*[2]. »

*Attestée également par l'étude « Sur Mirabeau »,
publiée d'abord le 15 janvier 1834 en préface à une
édition des* Mémoires de Mirabeau *puis reprise en
clôture de* Littérature et Philosophie mêlées, *l'envie
d'intervenir dans le débat politique se devine si bien
que Lamartine, élu député en janvier 1833, essaie,
en avril 1834, de convaincre Hugo de se porter candidat, sans se douter peut-être que celui-ci n'est pas
éligible. Elle se précise, avec un enjeu primordial :
les questions sociales. Le combat contre la peine de
mort a amené une réflexion sur les causes sociales
de la criminalité. La nouvelle préface que Hugo a
donnée à son* Dernier Jour d'un condamné, *datée
du 15 mars 1832, en témoigne :*

1. *Œuvres complètes, Critique,* éd. « Bouquins », *op. cit.,* p. 51.
2. *Œuvres complètes,* éd. Massin, t. V, *op. cit.,* p. 1046.

Si on l'avait proposée, cette souhaitable abolition, non à propos de quatre ministres tombés des Tuileries à Vincennes, mais à propos du premier voleur de grands chemins venu, à propos d'un de ces misérables que vous regardez à peine quand ils passent près de vous dans la rue, auxquels vous ne parlez pas, dont vous évitez instinctivement le coudoiement poudreux ; malheureux dont l'enfance déguenillée a couru pieds nus dans la boue des carrefours, grelottant l'hiver au rebord des quais, se chauffant au soupirail des cuisines de M. Véfour chez qui vous dînez, déterrant çà et là une croûte de pain dans un tas d'ordures et l'essuyant avant de la manger, grattant tout le jour le ruisseau avec un clou pour y trouver un liard, n'ayant d'autre amusement que le spectacle gratis de la fête du roi et les exécutions en Grève, cet autre spectacle gratis ; pauvres diables, que la faim pousse au vol, et le vol au reste ; enfants déshérités d'une société marâtre, que la maison de force prend à douze ans, le bagne à dix-huit, l'échafaud à quarante ; infortunés qu'avec une école et un atelier vous auriez pu rendre bons, moraux, utiles, et dont vous ne savez que faire, les versant, comme un fardeau inutile, tantôt dans la rouge fourmilière de Toulon, tantôt dans le muet enclos de Clamart, leur retranchant la vie après leur avoir ôté la liberté ; si c'eût été à propos d'un de ces hommes que vous eussiez proposé d'abolir la peine de mort, oh ! alors, votre séance eût été vraiment digne, grande, sainte, majestueuse, vénérable[1].

1. Voir « Folio classique », p. 153-154.

Que savait Hugo de Claude Gueux ?

Quatre jours plus tard, la Gazette des tribunaux *relate la condamnation à mort d'un homme nommé Claude Gueux par la cour d'assises de l'Aube, lors de l'audience du 16 mars 1832. Hugo a-t-il pris connaissance aussitôt après sa parution de cet article auquel il renvoie, dans son manuscrit, en tête du texte qui servira de conclusion à l'histoire de sa vie et de son crime, et où il imagine la prise de parole de quelqu'un qui se lèverait « des bancs de la chambre ou de la tribune publique » ? La référence lui paraissant avoir été ajoutée après coup, Jacques Seebacher, dans sa Notice sur* Claude Gueux *de l'édition des* Œuvres complètes *en collection « Bouquins », le conteste et présente, sans fournir les éléments qui lui permettent d'accréditer son hypothèse, Pierre Alexandre Delaunay, riche propriétaire vivant « aussi bien à Paris qu'aux portes de Troyes », comme l'informateur de Hugo. Son nom figure bien, près de trente ans après la publication de* Claude Gueux, *dans le chapitre intitulé « La suite du* Dernier Jour *d'un condamné » du* Victor Hugo raconté par un témoin de sa vie *d'Adèle Hugo, mais il n'est que le destinataire du deuxième des trois documents trouvés par elle « dans un dossier de papiers relatifs à* Claude Gueux *» : le document en question est une lettre à lui envoyée le 4 juin 1832 par une certaine « Sœur Louise » pour rendre compte de la façon dont elle a transmis au prisonnier la somme envoyée par ses* *soins*[1]. *Plus troublant est le fait, signalé par Paul Savey-Casard mais non invoqué par Jacques Seebacher, que le nom d'un certain Delaunay figure dans la liste de jury de session dans l'Aube, publiée par* Le Progressif, *journal local, le 16 février 1832. De là à l'identifier à la personne se prétendant « bien informée » qui a annoncé l'intention de Hugo de « publier un roman historique sur Claude Gueux » au greffier en chef de la cour d'assises de Troyes, incitant celui-ci à écrire à l'auteur, il y aurait une conjecture plausible, sinon une preuve. Le plus grand intérêt de cette lettre du greffier, qui constitue le troisième document apporté par Adèle, est de fournir sur les rapports du condamné avec son père des détails tout à son honneur et dont Hugo n'a fait aucun usage :*

> Je pense, monsieur, qu'il est important que vous sachiez que le père Gueux, très âgé, a été condamné à une peine qu'il subissait dans la maison centrale de Clairvaux, et que son fils, pour lui porter secours, a commis avec intention une action dont le résultat l'a conduit dans la prison de son père.
>
> Quand il faisait du soleil, Gueux prenait entre ses bras son vieux père et le portait avec le plus grand soin sous la chaleur du jour.
>
> Je serais heureux que ces faits vous fussent de quelque utilité…

Voilà qui recoupe un des motifs de la note qui accompagne la demande en grâce, premier document cité par Adèle :

---

1. Voir chap. LIII dans *Œuvres complètes*, éd. Massin, *op. cit.*, t. V, 1967, p. 1378-1379.

Le nommé Gueux (Claude) a été condamné à la peine de mort pour un crime auquel le tourment de la faim l'avait poussé. Sa tendresse pour son père a intéressé en sa faveur tous ceux qui l'ont approché. Malheureusement l'affaire est à sa fin [...] et le jugement va être exécuté si le roi n'accorde pas une commutation de peine. [...] La clémence de Sa Majesté, si généralement connue, est implorée par le condamné et par les jurés mêmes.

Hugo n'ignore sans doute pas les reproches, qui lui ont été faits après la publication, d'avoir idéalisé son personnage. Tout se passe comme si, par le biais de ces témoignages, nous était suggérée l'idée qu'il n'a même pas fait usage des éléments les plus susceptibles de sublimer son héros et d'émouvoir le lecteur.

En prenant appui sur des faits réels, peut-être Hugo répondait-il en quelque sorte aux objections soulevées contre Le Dernier Jour d'un condamné, *qu'il a évoquées et critiquées dans la préface dialoguée à la 3ᵉ édition de 1829, « Une comédie à propos d'une tragédie » :*

LE POÈTE ÉLÉGIAQUE. – [...] Encore, ce criminel, si je le connaissais ? mais point. Qu'a-t-il fait ? on n'en sait rien. C'est peut-être un fort mauvais drôle. On n'a pas le droit de m'intéresser à quelqu'un que je ne connais pas. [...]

LE PHILOSOPHE. – [...] Je ne m'intéresse pas à une abstraction, à une entité pure. [...] Le condamné n'est pas intéressant.

LE POÈTE. – Comment intéresserait-il ? il a un crime et pas de remords. J'eusse fait tout

le contraire. J'eusse conté l'histoire de mon
condamné. Né de parents honnêtes. Une bonne
éducation. De l'amour. De la jalousie. Un crime
qui n'en soit pas un. Et puis des remords, des
remords, beaucoup de remords. Mais les lois
humaines sont implacables : il faut qu'il meure.
Et là j'aurais traité ma question de la peine de
mort. [...]

LE PHILOSOPHE. – Pardon. Le livre, comme
l'entend monsieur, ne prouverait rien. La particularité ne régit pas la généralité.

*Même si, en 1829, Hugo défend son choix d'un
condamné anonyme dont on ne connaît pas l'histoire, on voit que le choix, en 1834, d'un condamné
dont on sait le nom et dont il esquisse le parcours
peut être une façon de répondre à ceux qui se plai-
gnaient de n'avoir pas été intéressés par le personnage. Il n'en refuse pas moins la facilité qui
consisterait à le rendre aussi sympathique que possible, à lui attribuer un crime passionnel des plus
excusables et à lui prêter des remords. Et surtout,
au lieu de créer de toutes pièces un personnage
de fiction, il emprunte son criminel à la réalité
la plus proche, il se saisit du cas d'un condamné
exposé par la chronique judiciaire. On ne cessera
de gloser sur les écarts entre sa présentation de
Claude Gueux et des faits qui l'ont mené à l'échafaud et ce que l'on en a appris depuis. Mais cela
n'aurait de sens que si l'on pouvait être sûr de ce
que savait Hugo. Or son texte publié ne contient
que trois allusions à des sources : à propos de la
« scène extraordinaire » par laquelle une « étrange
cour de cassation » réunie dans un atelier va rati-*

fier, en quelque sorte, la sentence portée par Claude
à l'encontre du directeur – « *Il y avait là, ainsi
que l'a constaté l'instruction judiciaire qui a eu
lieu depuis, quatre-vingt-deux voleurs, y compris
Claude* » – ; au sujet de l'intervention de Claude à
son procès – « *Il parla de telle sorte qu'une personne intelligente qui assistait à cette audience
s'en revint frappée d'étonnement* » – et lorsque le
narrateur rapporte que Claude « *voulut embrasser
le prêtre, puis le bourreau, remerciant l'un, pardonnant à l'autre* » – « *Le bourreau le repoussa
doucement, dit une relation* ». Hugo cite là à peu
près textuellement la Gazette des tribunaux *du
15 juin 1832* : « *il a serré dans ses bras le vénérable prêtre qui l'assistait à cette heure suprême.
Il a voulu embrasser aussi l'exécuteur, qui l'a
repoussé doucement* ». Le manuscrit n'indique
que deux autres sources : « *Affaire Cl. Gueux. Voir
la* Gazette des tribunaux *du 19 mars 1832*[1] » ; et,
en tête du récit : « *Voici des faits qui m'ont*[2] *été
rapportés par un témoin digne de foi.* » Qui est ce
témoin ? Comment Hugo a-t-il eu connaissance
de l'instruction judiciaire ? Impossible, jusqu'à
présent, de répondre à ces questions. La lettre du
greffier en chef de la cour d'assises de Troyes se
termine par une proposition qui pourrait tenir lieu
d'indice : « *Si vous avez besoin de quelques ren-
seignements qui se trouvent au dossier criminel,*

1. Référence placée en note, après l'apostrophe : « Encore
une exécution ! quand donc s'en lasseront-ils ? », qui ouvrait à
l'origine ce qui est devenu le morceau final du texte.
2. Une variante supralinéaire donne : « *nous* ». La phrase
a été supprimée.

ce serait pour moi une bien grande satisfaction de vous les procurer. » Mais en l'absence de preuves que Hugo ait reçu communication par lui de ce qui ne figure pas dans la Gazette des tribunaux, c'est avec ce que contiennent les articles de cet organe de presse, dont nous sommes certains qu'il les a connus, que peut être établie la seule comparaison légitime. Le relevé des différences du « vrai Claude Gueux » avec celui de Hugo doit s'en tenir à ce que livraient de lui les articles qu'il a lus. Ce qui a été révélé ensuite par la réception de l'ouvrage puis par les recherches de l'éditeur scientifique Paul Savey-Casard, dans son édition critique du texte, ne peut être mis sur le même plan.

Commençons par récapituler les éléments que Hugo a pu puiser dans la Gazette des tribunaux du 19 mars 1832 et qui seront signalés dans les notes de notre édition : la date à laquelle, pour ses lecteurs de 1834, il situe la vie de Claude avant sa première incarcération – « il y a sept ou huit ans » – et qui peut résulter de celle de 1828, indiquée par la Gazette, où il était déjà détenu à Clairvaux ; le lieu même de sa détention ; la générosité d'Albin partageant avec l'accusé ses aliments ; la confidence anticipée de ses projets à des codétenus et le nom de ceux-ci ; la date du meurtre, le 4 novembre (1831), erronée d'ailleurs ; l'arme du crime – « une petite hache » issue de « l'atelier des menuisiers » qu'il tint « cachée dans son pantalon » ; des détails du portrait de Claude ; la « triste livrée de Clairvaux » dont il est revêtu lors du procès ; la ronde à l'occasion de laquelle Claude poignarde Delacelle, D., chez Hugo, qui appelle *cette ronde « inspection » ; les cinq coups dont il le frappe ; la date de la comparution devant la cour d'assises – le 16 mars 1832 – et l'affluence des curieux ; la « sauvage éloquence » qu'il déploie au procès. Enfin, comment ne pas être frappé par ce qui se retrouve de la conclusion du rédacteur de la* Gazette *dans celles de Hugo ? Le journaliste écrit :*

> Gueux, à l'imagination ardente, aux passions vives, n'a pu respirer dans le cercle étroit où la société l'avait resserré. Il a brisé violemment ses liens. Cette âme, éclairée par le bienfait de l'éducation, policée par le commerce des hommes, du monde, occupée de grandes choses, cette âme eût animé l'éloquence d'un illustre orateur [...] ; mais cette âme, abrutie par l'ignorance, flétrie par la misère et le mépris des hommes, a fait bouillonner des idées désordonnées dans une tête qui, avant cinq jours, va rouler sur l'échafaud. Oh ! gouvernants, instruisez pour n'être pas obligés de tuer vos semblables.

Réflexions auxquelles Hugo semble faire écho à plusieurs reprises, d'abord comme si ce correspondant de presse était la « personne intelligente » dont il glose ainsi la pensée (« Il paraît que ce pauvre ouvrier contenait bien plutôt un orateur qu'un assassin ») ; et surtout dans ses propres conclusions, non seulement celles qu'il propose au sortir de son récit, en soulevant les questions de l'éducation et de la pénalité, et la responsabilité de la société, mais aussi celles par lesquelles s'achève le morceau final, rédigé avant le récit et indépendamment, prétendent souvent

les éditeurs scientifiques du texte, de l'affaire
Claude Gueux :

> La tête de l'homme du peuple, voilà la question.
> Cette tête est pleine de germes utiles. Employez
> pour la faire mûrir et venir à bien ce qu'il y a de
> plus lumineux et de mieux tempéré dans la vertu.
> [...] Cette tête de l'homme du peuple, cultivez-la
> [...] ; vous n'aurez pas besoin de la couper.

Le détail des outils que jettent des détenus dans
le cachot de Claude, après sa condamnation, et qui
auraient pu lui servir à limer ses fers, la conjec-
ture d'un pourvoi en cassation déposé après le
délai légal pourraient avoir été tirés de la Gazette
des tribunaux *du 11 avril 1832. L'heure à laquelle*
lui fut annoncé le rejet de ce pourvoi, la volonté
d'embrasser le bourreau, la donation d'une pièce
de cinq francs viennent du numéro du 15 juin.

Une modification opérée par Hugo pourrait bien
être significative : il présente D., c'est-à-dire Dela-
celle, non comme « gardien en chef de la maison
centrale de Clairvaux » (Gazette des tribunaux
du 19 mars 1832) mais « directeur des ateliers »,
tenant ensemble « du guichetier et du marchand,
qui fait en même temps une commande à l'ouvrier
et une menace au prisonnier ». Il n'en fait donc
pas seulement l'incarnation du régime pénitenti-
aire, mais aussi celle de l'exploitation.

Venons-en aux informations que Hugo n'a pas
retenues dans les numéros de la Gazette des tribunaux *dont nous sommes à peu près sûrs qu'il les*
a lus. Le plan d'évasion qu'il aurait dirigé n'ayant

eu aucune suite, on conviendra que son occulta-
tion est défendable. Deux traits de caractère que la
Gazette *attribue à Claude et que Hugo passe sous*
silence – la jouissance que semble lui procurer le
crime, la célébrité qu'il chercherait à acquérir par
ce moyen – relèvent, si on lit bien, de conjectures
– l'utilisation du verbe « sembler » l'atteste – plus
que de certitudes. Hugo ne dit mot non plus de la
menace que Claude aurait proférée de tuer ses juges
ni du fait que, condamné, il se serait, après avoir
tenu des discours émouvants à ses compagnons
d'infortune, introduit dans le quartier des femmes,
semblant « oublier dans les bras d'une de ces mal-
heureuses les remords » qu'il venait de montrer[1]*.*
Le portrait qu'il esquisse de Claude dérive de celui
de la Gazette *mais avec une mise en avant de ce*
qui peut refléter des qualités morales : il substi-
tue ainsi à la figure « douce et régulière » observée
par le journaliste une « figure digne et grave » ; à la
stature élevée, un « front haut » ; aux « yeux errant
sans cesse » où « on remarque quelque chose de
sombre qui déjà justifierait l'accusation », expres-
sion qui lui paraît probablement relever d'un pré-
jugé, « l'œil doux et fort puissamment enfoncé
sous une arcade sourcilière bien modelée ».

Mais la principale différence entre le récit de
Hugo et la relation de l'affaire Claude Gueux par
la Gazette des tribunaux *réside dans le passé que*
Hugo prête au délinquant. Alors que la Gazette
rend compte de l'audience où va se juger un

---

1. Indications données par la *Gazette des tribunaux* du
11 avril 1832.

« *accusé* » *et commence par indiquer* « *le déploie-*
ment de forces rendu nécessaire par la crainte qu'il
inspire », *Hugo ouvre son récit par l'évocation de*
sa condition sociale, du couple qu'il formait avec
une femme, de leur enfant. La vie antérieure de
Claude se réduit dans la Gazette *à deux détentions*
« *pour crime* » *dont Claude a été l'objet à Clair-*
vaux, suivies par une tentative d'assassinat de son
« *malheureux gardien* » ; *ainsi se met en place une*
distribution claire des rôles : d'un côté, un crimi-
nel invétéré ; de l'autre, sa victime, le défenseur de
l'ordre social. Hugo brouille ce manichéisme en
présentant Claude comme un « *pauvre ouvrier [...]*
capable, habile, intelligent, fort mal traité par l'édu-
cation, fort bien traité par la nature, ne sachant pas
lire et sachant penser ». *Certes, il n'est pas marié*
et vit en concubinage avec une maîtresse dont il
a une fille, ce qui n'est pas convenable aux yeux
d'un lecteur bourgeois, mais c'est pour donner du
pain et du feu à cette femme et à cet enfant que,
faute de travail, il vole. Et, face à Claude, Hugo
dresse un directeur « *bon père et bon mari par*
devoir » *mais* « *tyrannique* » *et têtu. L'affrontement*
se produit lorsque par pur caprice, arbitrairement,
ce directeur mute dans un autre atelier un jeune
détenu qui partageait généreusement sa ration avec
le gros mangeur qu'était Claude. Contre un tel abus
de pouvoir la révolte est légitime. Cette version des
faits, qui néglige la tentative d'assassinat précé-
dente susceptible de rendre moins déterminante
la motivation avancée pour celui qui a été perpé-
tré, correspond tout à fait à celle que présente la
Gazette *à travers une longue citation du plaidoyer*

de Claude : « *J'avais faim, on me refuse à manger ; j'avais un ami, on lui refuse de me parler [...]. J'ai juré vengeance, car j'étais provoqué* ». Encore Hugo ne prend-il pas en compte une circonstance atténuante supplémentaire qu'invoque Claude : « *je nourrissais, moi affamé, mon père du fruit de mon travail* », sur laquelle le greffier du tribunal semble, nous l'avons vu, avoir attiré son attention. Comme s'il avait craint d'abuser du pathétique, le vrai pouvant ne pas passer pour vraisemblable...

Les suites de *Claude Gueux*

Claude Gueux *est réimprimé dans une brochure séparée qui constitue l'édition originale, à la demande d'un négociant de Dunkerque, Charles Carlier, dont la lettre est reproduite en tête de l'ouvrage et le sera dans toutes les éditions ultérieures. Datée du 30 juillet, elle demande de « faire tirer autant d'exemplaires qu'il y a de Députés en France, et de les leur adresser individuellement et bien exactement », répondant de la plus magnifique façon au vœu de l'auteur d'influer sur les débats de la Chambre.*

Faisant étape à Troyes, le 22 octobre 1839, Hugo voudra « voir le lieu où a été exécuté Claude Gueux » ; il y songera « à ce pauvre ouvrier intelligent et noble », mort sept ans plus tôt « par la faute de la société qui ne sait ni élever l'enfant ni corriger l'homme[1] ». Le 10 septembre 1846, il

---

1. *Œuvres complètes, Voyages*, éd. « Bouquins », *op. cit.*, p. 729-730.

visite la Conciergerie[1] ; le 5 avril 1847, la prison des condamnés à mort de la Roquette et converse avec l'un d'entre eux[2] ; chaque fois, il prend des notes abondantes. Le 18 avril, il interrompt la rédaction du roman qui ne s'intitule pas encore Les Misérables *pour des notes en vue d'un discours destiné à la Chambre des pairs qui va débattre d'une loi sur les prisons ; du 3 au 10 mai 1847, il commence à écrire un projet de discours, dont il reprendra la rédaction le 21 janvier 1848[3]. La critique qu'il fait de « l'ancien régime pénal » des « prisons-en-commun[4] » se retrouvera, dix-huit ans plus tard, dans les propos tenus par le protagoniste, nommé Glapieu, d'un drame de son* Théâtre en liberté, Mille francs de récompense[5]. *Il souligne aussi à quel point le peuple porte « plus que les autres classes, le poids de la pénalité », faute des lumières de l'éducation et faute de travail, et c'est en se référant aux « révélations de Clairvaux » (postérieures à* Claude Gueux*) – « le froid et la faim [...] employés comme moyens de répression et comme auxiliaires du geôlier, [...] la discipline, maintenue avec une abominable férocité », et un taux de mortalité exorbitant – qu'il appelle à le tirer des vieilles prisons, « écoles de vice, ateliers du crime » et*

---

1. « Le Temps présent », II, 1845-1847, *Choses vues*, dans *Œuvres complètes, Histoire*, éd. « Bouquins », *op. cit.*, p. 912-931.
2. « Carnets, journaux, albums », dans *Œuvres complètes*, éd. Massin, *op. cit.*, t. VII, 1968, p. 1014-1019.
3. « Le Temps présent », *Choses vues, op. cit.*, p. 942-968.
4. *Ibid.*, p. 956-957.
5. *Mille francs de récompense*, dans *Le Théâtre en liberté*, acte I, scène I, « Folio classique », p. 86-88.

« *de ces deux autres prisons plus cruelles encore,
l'ignorance et la misère*[1] ». *Le 29 mai 1848, se présentant pour être candidat des Associations d'art
et d'industrie à l'Assemblée constituante, il décla-
rera ceci :* « *Toutes les questions qui intéressent le
bien-être du peuple, la dignité du peuple, l'éducation du peuple, ont occupé ma vie entière. Tenez,
entrez dans le premier cabinet de lecture venu,
lisez quinze pages intitulées* Claude Gueux, *que je
publiais il y a quatorze ans, en 1834, et vous y
verrez ce que je suis pour le peuple, et ce que le
peuple est pour moi*[2]. » *À la suite du coup d'État
de décembre 1851, plusieurs députés de gauche,
collègues de Hugo, seront emprisonnés à Mazas,
occasion pour lui de prendre conscience de la
cruauté du régime cellulaire jusqu'alors tenu, y
compris par le Hugo de 1847, pour un progrès
par rapport à la promiscuité antérieure*[3]. *En exil
à Guernesey, Hugo visitera encore le pénitencier
local, le 5 décembre 1855, où le condamné Tapner,
dont il avait vainement essayé d'empêcher l'exécution, avait été incarcéré*[4].

Adèle Hugo présentera en 1863, on l'a vu,
Claude Gueux *comme* « *la suite du* Dernier Jour
d'un condamné ». *On pourrait aussi trouver
dans le récit de 1834 des prémices de deux autres*

---

1. « Le Temps présent », *Choses vues, op. cit.*, p. 967-968.
2. *Actes et Paroles*, « Avant l'exil », dans *Œuvres complètes,
Politique*, éd. « Bouquins », *op. cit.*, p. 157.
3. *Histoire d'un crime*, Première Journée, chap. xv,
dans *Œuvres complètes, Histoire*, éd. « Bouquins », *op. cit.*,
p. 224-227.
4. Voir, à la date du 12 décembre 1855, « Le Temps présent », V, 1852-1870, *Choses vues, op. cit.*, p. 1291-1296.

œuvres de Hugo : Ruy Blas *et* Les Misérables.
*On a remarqué les analogies entre la révolte,
dans le drame de 1838, du domestique contre son
maître, Don Salluste, qui, le considérant comme
un simple outil de sa vengeance, l'a humilié, et
l'affrontement entre Claude et le directeur des ateliers. Comme Claude à l'encontre de monsieur D.,*
Ruy Blas *juge et exécute Salluste ; il déclare que
lorsqu'un homme commet des monstruosités, tout
homme a droit « de prendre une épée, une hache,
un couteau » et de se faire « bourreau*[1] *» ; Claude,
estimant qu'il ne pouvait « prendre la vie du directeur sans donner la sienne propre », tente ensuite
de se suicider ;* Ruy Blas *s'empoisonne. Mais d'un
personnage à l'autre on peut aussi relever des
variantes importantes. Né « dans le peuple »,* Ruy
Blas *aurait pu être « ouvrier » mais « par pitié
nourri dans un collège / De science et d'orgueil »
on a fait de lui « un rêveur ». Un jour, « mourant
de faim sur le pavé », il a renoncé à ses ambitions
et il est devenu « laquais*[2] *». Salluste l'ayant fait
passer pour noble, la faveur de la Reine l'élève au
rang de Premier ministre, lui permettant de mani-
fester la « haute éloquence » que Claude atteint par
moments au cours de son procès, et de se révé-
ler capable d'assumer les plus hautes fonctions de
l'État. Ce que* Ruy Blas *suggère de plus que* Claude
Gueux, *c'est que dans un régime monarchique et
aristocratique, il est à peu près impossible à un*

1. Acte V, scène III, v. 2191-2196, « Folio théâtre », p. 222.
2. Acte I, scène III, v. 286, 298-300, 304, 311-312, 320,
« Folio théâtre », p. 60-61.

homme du peuple, si génial soit-il, de contribuer au bien commun.

On a vu ce qui dans Claude Gueux *préfigurait* Les Misérables, *mais il importe de faire remarquer qu'à la date où il publiera son grand roman et depuis, au moins, son discours à l'Assemblée législative de 1849, il a dépassé de loin les termes de l'interpellation qui conclut le récit de 1834 : il n'est plus de ceux qui considèrent la misère comme inéluctable pour le plus grand nombre et la croyance à l'au-delà comme la seule consolation, mais de ceux qui affirment que l'on peut « détruire la misère*[1] *».*

*

Au-delà de ses suites fécondes dans l'œuvre de Hugo et de la nécessité de prendre en compte son évolution ultérieure, Claude Gueux *reste d'une actualité brûlante. Il a de quoi inciter à la réflexion les tenants de la prison comme unique réponse à la délinquance, des peines minimales incompressibles – dites peines planchers – et de leur application à tous les cas de récidive, voire de la valeur dissuasive ou punitive de la peine de mort. Ceux qui plaident pour une justice plus individualisée, soucieuse de prendre en compte les circonstances atténuantes, ceux qui considèrent la prison comme criminogène, recherchent des alternatives à l'incarcération pour les délinquants non violents et militent pour une préparation des détenus à leur*

1. *Actes et Paroles*, « Avant l'exil », dans *Œuvres complètes, Politique*, éd. « Bouquins », *op. cit.*, p. 204.

*réinsertion, ceux qui ne se résignent pas à la mise
à mort de quiconque, fût-ce un meurtrier, puise-
ront dans le récit de Hugo des raisons supplémentaires de poursuivre leur action.*

ARNAUD LASTER

Note sur la présente édition

On pourra lire le texte tel qu'il a été publié pour la première fois dans le numéro du 6 juillet 1834 de la *Revue de Paris*, mais avec les alinéas de l'édition dite « définitive » (Hetzel, 1881) qui, en détachant mieux notamment les propos rapportés, lui confèrent une plus grande lisibilité. Les seules modifications, qui sont toutes signalées par des notes, portent sur une ponctuation erronée ; une mauvaise lecture du manuscrit (consultable sur le site Gallica de la Bibliothèque nationale de France) ; une tournure corrigée du vivant même de Hugo ; et l'apostrophe à des hommes politiques de l'époque, dont les noms ont varié au fur et à mesure de la rédaction, jusqu'à disparaître dès la réédition de l'œuvre en 1845 chez Charpentier, sans doute pour éviter que le texte n'apparaisse comme circonstanciel. Les notes de bas de page sont de Hugo.

A. L.

CLAUDE GUEUX

NOTE DE LA PREMIÈRE ÉDITION[1]

La lettre ci-dessous, dont l'original est déposé aux bureaux de la *Revue de Paris**, fait trop d'honneur à son auteur pour que nous ne la reproduisions pas ici. Elle est désormais liée à toutes les réimpressions de *Claude Gueux*.

« Dunkerque, le 30 juillet 1834.

Monsieur le Directeur de la *Revue de Paris*,
Claude Gueux, de Victor Hugo, par vous inséré dans votre livraison du 6 courant, est une grande leçon ; aidez-moi, je vous prie, à la faire profiter.

Rendez-moi, je vous prie, le service d'en faire tirer à mes frais autant d'exemplaires qu'il y a de Députés en France, et de les leur adresser individuellement et bien exactement.

J'ai l'honneur de vous saluer.

CHARLES CARLIER,
Négociant.»

* *Claude Gueux* a paru d'abord dans la *Revue de Paris*.

Il y a sept ou huit ans, un homme nommé Claude Gueux, pauvre ouvrier, vivait à Paris[1]. Il avait avec lui une fille[2] qui était sa maîtresse, et un enfant de cette fille. Je dis les choses comme elles sont, laissant le lecteur ramasser les moralités à mesure que les faits les sèment sur leur chemin. L'ouvrier était capable, habile, intelligent, fort mal traité par l'éducation, fort bien traité par la nature, ne sachant pas lire et sachant penser. Un hiver, l'ouvrage manqua. Pas de feu ni de pain dans le galetas[3]. L'homme, la fille et l'enfant eurent froid et faim. L'homme vola. Je ne sais ce qu'il vola, je ne sais où il vola. Ce que je sais, c'est que de ce vol il résulta trois jours de pain et de feu pour la femme et pour l'enfant, et cinq ans de prison pour l'homme.

L'homme fut envoyé faire son temps à la maison centrale de Clairvaux[4]. Clairvaux, abbaye dont on a fait une bastille, cellule dont on a fait un cabanon[5], autel dont on a fait un pilori[6]. Quand nous parlons de progrès, c'est ainsi que certaines gens le comprennent et l'exécutent. Voilà la chose qu'ils mettent sous notre mot.

Poursuivons.

Arrivé là, on le mit dans un cachot pour la nuit, et dans un atelier pour le jour. Ce n'est pas l'atelier que je blâme.

Claude Gueux, honnête ouvrier naguère, voleur désormais, était une figure digne et grave[1]. Il avait le front haut, déjà ridé, quoique jeune encore, quelques cheveux gris perdus dans les touffes noires, l'œil doux et fort puissamment enfoncé sous une arcade sourcilière bien modelée, les narines ouvertes, le menton avancé, la lèvre dédaigneuse. C'était une belle tête[2]. On va voir ce que la société en a fait.

Il avait la parole rare, le geste plus fréquent, quelque chose d'impérieux dans toute sa personne et qui se faisait obéir, l'air pensif, sérieux plutôt que souffrant. Il avait pourtant bien souffert.

Dans le dépôt où Claude Gueux était enfermé, il y avait un directeur des ateliers[3], espèce de fonctionnaire propre aux prisons, qui tient tout ensemble du guichetier[4] et du marchand, qui fait en même temps une commande à l'ouvrier et une menace au prisonnier, qui vous met l'outil aux mains et les fers aux pieds. Celui-là était lui-même une variété dans l'espèce[5], un homme bref, tyrannique, obéissant à ses idées, toujours à courte bride sur son autorité[6] ; d'ailleurs, dans l'occasion, bon compagnon, bon prince, jovial même et raillant avec grâce ; dur plutôt que ferme ; ne raisonnant avec personne, pas même avec lui ; bon père, bon mari sans doute, ce qui est devoir et non vertu ; en un mot, pas méchant, mauvais. C'était un de ces hommes qui n'ont rien de vibrant ni d'élastique, qui sont composés de molécules inertes, qui ne résonnent au choc d'aucune idée, au contact d'aucun sentiment, qui ont des colères glacées, des haines mornes, des emportements sans émotion, qui prennent feu sans s'échauffer, dont la capacité de calorique est nulle, et qu'on dirait souvent faits de bois ; ils flambent par un bout et sont froids par l'autre. La ligne principale, la ligne diagonale du caractère de cet homme, c'était la ténacité. Il était fier d'être tenace, et se comparait à Napoléon. Ceci n'est qu'une illusion d'optique. Il y a nombre de gens qui en sont dupes et qui, à certaine distance, prennent la ténacité pour de la volonté, et une chandelle pour une étoile. Quand cet homme donc avait une fois ajusté ce qu'il appelait *sa volonté* à une chose absurde, il allait tête haute et à travers toute broussaille jusqu'au bout de la chose absurde. L'entêtement sans l'intelligence, c'est la sottise soudée au bout de la bêtise et lui servant de rallonge. Cela va loin. En général, quand une catastrophe privée ou publique s'est écroulée sur nous, si nous examinons, d'après les décombres qui en gisent à terre, de quelle façon elle s'est échafaudée, nous trouvons presque toujours qu'elle a été aveuglément construite par un homme médiocre et obstiné qui avait foi en lui et qui s'admirait[1]. Il y a par le monde beaucoup de ces petites fatalités têtues qui se croient des providences.

Voilà donc ce que c'était que le directeur des ateliers de la prison centrale de Clairvaux. Voilà de quoi était fait le briquet[1] avec lequel la société frappait chaque jour sur les prisonniers pour en tirer des étincelles.

L'étincelle que de pareils briquets arrachent à de pareils cailloux allume souvent des incendies.

Nous avons dit qu'une fois arrivé à Clairvaux, Claude Gueux fut numéroté dans un atelier et rivé à une besogne. Le directeur de l'atelier fit connaissance avec lui, le reconnut bon ouvrier, et le traita bien. Il paraît même qu'un jour, étant de bonne humeur, et voyant Claude Gueux fort triste, car cet homme pensait toujours à celle qu'il appelait *sa femme*, il lui conta, par manière de jovialité et de passe-temps, et aussi pour le consoler, que cette malheureuse s'était faite fille publique. Claude demanda froidement ce qu'était devenu l'enfant. On ne savait.

Au bout de quelques mois, Claude s'acclimata à l'air de la prison et parut ne plus songer à rien. Une certaine sérénité sévère, propre à son caractère, avait repris le dessus.

Au bout du même espace de temps à peu près, Claude avait acquis un ascendant singulier sur tous ses compagnons. Comme par une sorte de convention tacite, et sans que personne sût pourquoi, pas même lui, tous ces hommes le consultaient, l'écoutaient, l'admiraient et l'imitaient, ce qui est le dernier degré ascendant de l'admiration. Ce n'était pas une médiocre gloire d'être obéi par toutes ces natures désobéissantes. Cet empire[2] lui était venu sans qu'il y songeât. Cela tenait au regard qu'il avait dans les yeux. L'œil d'un homme est une fenêtre par laquelle on voit les pensées qui vont et viennent dans sa tête[1].

Mettez un homme qui contient des idées parmi des hommes qui n'en contiennent pas, au bout d'un temps donné, et par une loi d'attraction irrésistible, tous les cerveaux ténébreux graviteront humblement et avec adoration autour du cerveau rayonnant. Il y a des hommes qui sont fer et des hommes qui sont aimant. Claude était aimant.

En moins de trois mois donc, Claude était devenu l'âme, la loi et l'ordre de l'atelier. Toutes ces aiguilles tournaient sur son cadran. Il devait douter lui-même par moments s'il était roi ou prisonnier. C'était une sorte de pape captif avec ses cardinaux.

Et, par une réaction toute naturelle, dont l'effet s'accomplit sur toutes les échelles, aimé des prisonniers, il était détesté des geôliers. Cela est toujours ainsi. La popularité ne va jamais sans la défaveur. L'amour des esclaves est toujours doublé de la haine des maîtres.

Claude Gueux était grand mangeur. C'était une particularité de son organisation. Il avait l'estomac fait de telle sorte que la nourriture de deux hommes ordinaires suffisait à peine à sa journée. M. de Cotadilla avait un de ces appétits-là[2], et en riait ; mais ce qui est une occasion de gaieté pour un duc, grand d'Espagne, qui a cinq cent mille moutons, est une charge pour un ouvrier et un malheur pour un prisonnier.

Claude Gueux, libre dans son grenier, travaillait tout le jour, gagnait son pain de quatre

livres et le mangeait. Claude Gueux, en prison,
travaillait tout le jour et recevait invariable-
ment pour sa peine une livre et demie de pain et
quatre onces de viande[1]. La ration est inexorable.
Claude avait donc habituellement faim dans la
prison de Clairvaux.

Il avait faim, et c'était tout. Il n'en parlait pas.
C'était sa nature ainsi.

Un jour, Claude venait de dévorer sa maigre
pitance, et s'était remis à son métier, croyant
tromper la faim par le travail. Les autres prisonniers mangeaient joyeusement. Un jeune homme,
pâle, blond, faible, vint se placer près de lui. Il
tenait à la main sa ration, à laquelle il n'avait pas
encore touché, et un couteau. Il restait là debout,
près de Claude, ayant l'air de vouloir parler et
de ne pas oser. Cet homme, et son pain, et sa
viande, importunaient Claude.

— Que veux-tu ? dit-il enfin brusquement.

— Que tu me rendes un service, dit timide-
ment le jeune homme.

— Quoi ? reprit Claude.

— Que tu m'aides à manger cela. J'en ai trop.

Une larme roula dans l'œil hautain de Claude[2].
Il prit le couteau, partagea la ration du jeune
homme en deux parts égales, en prit une, et se
mit à manger.

— Merci, dit le jeune homme. Si tu veux, nous
partagerons comme cela tous les jours.

— Comment t'appelles-tu ? dit Claude Gueux.

— Albin.

— Pourquoi es-tu ici ? reprit Claude.

— J'ai volé.

— Et moi aussi, dit Claude.

Ils partagèrent en effet de la sorte tous les jours. Claude Gueux avait trente-six ans, et par moments il en paraissait cinquante, tant sa pensée habituelle était sévère. Albin avait vingt ans, on lui en eût donné dix-sept, tant il y avait encore d'innocence[1] dans le regard de ce voleur. Une étroite amitié se noua entre ces deux hommes, amitié de père à fils plutôt que de frère à frère. Albin était encore presque un enfant ; Claude était déjà presque un vieillard[2].

Ils travaillaient dans le même atelier, ils couchaient sous la même clef de voûte[3], ils se promenaient dans le même préau, ils mordaient au même pain. Chacun des deux amis était l'univers pour l'autre. Il paraît qu'ils étaient heureux[4].

Nous avons déjà parlé du directeur des ateliers. Cet homme, haï des prisonniers, était souvent obligé, pour se faire obéir d'eux, d'avoir recours à Claude Gueux, qui en était aimé. Dans plus d'une occasion, lorsqu'il s'était agi d'empêcher une rébellion ou un tumulte, l'autorité sans titre de Claude Gueux avait prêté main-forte à l'autorité officielle du directeur. En effet, pour contenir les prisonniers, dix paroles de Claude valaient dix gendarmes. Claude avait maintes fois rendu ce service au directeur. Aussi le directeur le détestait-il cordialement. Il était jaloux de ce voleur. Il avait au fond du cœur une haine secrète, envieuse, implacable, contre Claude, une haine de souverain de droit à souverain de fait, de pouvoir temporel à pouvoir spirituel.

Ces haines-là sont les pires.

Claude aimait beaucoup Albin, et ne songeait pas au directeur.

Un jour, un matin, au moment où les porte-clefs transvasaient les prisonniers deux à deux du dortoir dans l'atelier, un guichetier appela Albin, qui était à côté de Claude, et le prévint que le directeur le demandait.

— Que te veut-on ? dit Claude.

— Je ne sais pas, dit Albin.

Le guichetier emmena Albin.

La matinée se passa, Albin ne revint pas à l'atelier. Quand arriva l'heure du repas, Claude pensa qu'il retrouverait Albin au préau. Albin n'était pas au préau. On rentra dans l'atelier, Albin ne reparut pas dans l'atelier. La journée s'écoula ainsi. Le soir, quand on ramena les prisonniers dans leur dortoir, Claude y chercha des yeux Albin, et ne le vit pas. Il paraît qu'il souffrit beaucoup dans ce moment-là, car il adressa la parole à un guichetier, ce qu'il ne faisait jamais.

— Est-ce qu'Albin est malade ? dit-il.

— Non, répondit le guichetier.

— D'où vient donc, reprit Claude, qu'il n'a pas reparu aujourd'hui ?

— Ah ! dit négligemment le porte-clefs, c'est qu'on l'a changé de quartier.

Les témoins qui ont déposé de ces faits plus tard remarquèrent qu'à cette réponse du guichetier la main de Claude, qui portait une chandelle allumée, trembla légèrement. Il reprit avec calme :

— Qui a donné cet ordre-là ?

Le guichetier répondit :

— Monsieur D.

Le directeur des ateliers s'appelait M. D[1].

La journée du lendemain se passa comme la journée précédente, sans Albin.

Le soir, à l'heure de la clôture des travaux, le directeur, M. D., vint faire sa ronde habituelle dans l'atelier. Du plus loin que Claude le vit, il ôta son bonnet de grosse laine, il boutonna sa veste grise, triste livrée de Clairvaux[2], car il est de principe dans les prisons qu'une veste respectueusement boutonnée prévient favorablement les supérieurs, et il se tint debout et son bonnet à la main à l'entrée de son banc, attendant le passage du directeur. Le directeur passa.

— Monsieur ! dit Claude.

Le directeur s'arrêta et se détourna à demi.

— Monsieur, reprit Claude, est-ce que c'est vrai qu'on a changé Albin de quartier ?

— Oui, répondit le directeur.

— Monsieur, poursuivit Claude, j'ai besoin d'Albin pour vivre.

Il ajouta :

— Vous savez que je n'ai pas assez de quoi manger avec la ration de la maison, et qu'Albin partageait son pain avec moi.

— C'était son affaire, dit le directeur.

— Monsieur, est-ce qu'il n'y aurait pas moyen de faire remettre Albin dans le même quartier que moi ?

— Impossible. Il y a décision prise.

— Par qui ?

— Par moi.

— Monsieur D., reprit Claude, c'est la vie ou la mort pour moi, et cela dépend de vous.

— Je ne reviens jamais sur mes décisions.

— Monsieur, est-ce que je vous ai fait quelque chose ?

— Rien.

— En ce cas, dit Claude, pourquoi me séparez-vous d'Albin ?

— Parce que, dit le directeur.

Cette explication donnée, le directeur passa outre.

Claude baissa la tête et ne répliqua pas. Pauvre lion en cage à qui l'on ôtait son chien !

Nous sommes forcé de dire que le chagrin de cette séparation n'altéra en rien la voracité en quelque sorte maladive du prisonnier. Rien d'ailleurs ne parut sensiblement changé en lui. Il ne parlait d'Albin à aucun de ses camarades. Il se promenait seul dans le préau aux heures de récréation, et il avait faim. Rien de plus.

Cependant ceux qui le connaissaient bien remarquaient quelque chose de sinistre et de sombre qui s'épaississait chaque jour de plus en plus sur son visage. Du reste, il était plus doux que jamais.

Plusieurs voulurent partager leur ration avec lui, il refusa en souriant.

Tous les soirs, depuis l'explication que lui avait donnée le directeur, il faisait une espèce de chose folle qui étonnait de la part d'un homme aussi sérieux. Au moment où le directeur, ramené à heure fixe par sa tournée habituelle, passait devant le métier de Claude, Claude levait les yeux et le regardait fixement, puis il lui adressait d'un ton plein d'angoisse et de colère, qui tenait à la fois de la prière et de la menace, ces deux mots seulement : *Et Albin ?* Le directeur faisait semblant de ne pas entendre ou s'éloignait en haussant les épaules.

Cet homme avait tort de hausser les épaules, car il était évident pour tous les spectateurs de ces scènes étranges que Claude Gueux était intérieurement déterminé à quelque chose. Toute la prison attendait avec anxiété quel serait le résultat de cette lutte entre une ténacité et une résolution.

Il a été constaté qu'une fois entre autres Claude dit au directeur :

— Écoutez, monsieur, rendez-moi mon camarade. Vous ferez bien, je vous assure. Remarquez que je vous dis cela.

Une autre fois, un dimanche, comme il se tenait dans le préau, assis sur une pierre, les coudes sur les genoux et son front dans ses mains, immobile depuis plusieurs heures dans la même attitude, le condamné Faillette s'approcha de lui, et lui cria en riant :

— Que diable fais-tu donc là, Claude ?

Claude leva lentement sa tête sévère, et dit :

— *Je juge quelqu'un.*

Un soir enfin, le 25 octobre 1831, au moment où le directeur faisait sa ronde, Claude brisa sous son pied avec bruit un verre de montre qu'il avait trouvé le matin dans un corridor. Le directeur demanda d'où venait ce bruit.

— Ce n'est rien, dit Claude, c'est moi. Monsieur le directeur, rendez-moi mon camarade.

— Impossible, dit le maître.

— Il le faut pourtant, dit Claude d'une voix basse et ferme ; et, regardant le directeur en face, il ajouta :

— Réfléchissez. Nous sommes aujourd'hui le 25 octobre. Je vous donne jusqu'au 4 novembre.

Un guichetier fit remarquer à M. D. que Claude le menaçait, et que c'était un cas de cachot.

— Non, point de cachot, dit le directeur avec un sourire dédaigneux ; il faut être bon avec ces gens-là !

Le lendemain, le condamné Pernot aborda Claude, qui se promenait seul et pensif, laissant les autres prisonniers s'ébattre dans un petit carré de soleil à l'autre bout de la cour.

— Eh bien ! Claude ! À quoi songes-tu ? tu parais triste.

— *Je crains*, dit Claude, *qu'il n'arrive bientôt quelque malheur à ce bon monsieur*[1] *D.*

Il y a neuf jours pleins du 25 octobre au 4 novembre[2]. Claude n'en laissa pas passer un sans avertir gravement le directeur de l'état de plus en plus douloureux où le mettait la disparition d'Albin. Le directeur, fatigué, lui infligea une fois vingt-quatre heures de cachot, parce que la prière ressemblait trop à une sommation. Voilà tout ce que Claude obtint.

Le 4 novembre arriva. Ce jour-là, Claude s'éveilla avec un visage serein qu'on ne lui avait pas encore vu depuis le jour où la *décision* de M. D. l'avait séparé de son ami. En se levant, il fouilla dans une espèce de caisse de bois blanc qui était au pied de son lit, et qui contenait ses quelques guenilles. Il en tira une paire de ciseaux de couturière. C'était, avec un volume dépareillé de l'*Émile*, la seule chose qui lui restât de la femme qu'il avait aimée, de la mère de son enfant[1], de son heureux petit ménage d'autrefois. Deux meubles[2] bien inutiles pour Claude : les ciseaux ne pouvaient servir qu'à une femme, le livre qu'à un lettré. Claude ne savait ni coudre ni lire.

Au moment où il traversait le vieux cloître déshonoré et blanchi à la chaux qui sert de promenoir l'hiver, il s'approcha du condamné Ferrari[3], qui regardait avec attention les énormes barreaux d'une croisée. Claude tenait à la main la petite paire de ciseaux ; il la montra à Ferrari en disant :

— Ce soir je couperai ces barreaux-ci avec ces ciseaux-là.

Ferrari, incrédule, se mit à rire, et Claude aussi.

Ce matin-là, il travailla avec plus d'ardeur qu'à l'ordinaire ; jamais il n'avait fait si vite et si bien. Il parut attacher un certain prix à terminer dans la matinée un chapeau de paille que lui avait payé d'avance un honnête bourgeois de Troyes, M. Bressier.

Un peu avant midi, il descendit sous un prétexte à l'atelier des menuisiers, situé au rez de chaussée, au-dessous de l'étage où il travaillait. Claude était aimé là comme ailleurs, mais il y entrait rarement.

Aussi :

— Tiens ! voilà Claude !

On l'entoura. Ce fut une fête. Claude jeta un coup d'œil rapide dans la salle. Pas un des surveillants n'y était.

— Qui est-ce qui a une hache à me prêter ? dit-il[1].

— Pourquoi faire ? lui demanda-t-on.

Il répondit :

— C'est pour tuer ce soir le directeur des ateliers.

On lui présenta plusieurs haches à choisir. Il prit la plus petite, qui était fort tranchante, la cacha dans son pantalon[2], et sortit. Il y avait là vingt-sept prisonniers. Il ne leur avait pas recommandé le secret. Tous le gardèrent.

Ils ne causèrent même pas de la chose entre eux.

Chacun attendit de son côté ce qui arriverait. L'affaire était terrible, droite et simple. Pas de complication possible. Claude ne pouvait être ni conseillé ni dénoncé.

Une heure après, il aborda un jeune condamné de seize ans qui bâillait dans le promenoir, et lui conseilla d'apprendre à lire. En ce moment, le détenu Faillette accosta Claude, et lui demanda ce que diable il cachait là dans son pantalon. Claude dit :

— C'est une hache pour tuer monsieur D. ce soir.

Il ajouta :

— Est-ce que cela se voit ?

— Un peu, dit Faillette.

Le reste de la journée fut à l'ordinaire. À sept heures du soir, on renferma les prisonniers, chaque section dans l'atelier qui lui était assigné ; et les surveillants sortirent des salles de travail, comme il paraît que c'est l'habitude, pour ne rentrer qu'après la ronde du directeur.

Claude Gueux fut donc verrouillé comme les

autres dans son atelier avec ses compagnons de métier.

Alors il se passa dans cet atelier une scène extra-ordinaire, une scène qui n'est ni sans majesté ni sans terreur, la seule de ce genre qu'aucune histoire puisse raconter.

Il y avait là, ainsi que l'a constaté l'instruction judiciaire qui a eu lieu depuis, quatre-vingt-deux voleurs, y compris Claude.

Une fois que les surveillants les eurent laissés seuls, Claude se leva debout sur son banc, et annonça à toute la chambrée qu'il avait quelque chose à dire. On fit silence.

Alors Claude haussa la voix et dit :

— Vous savez tous qu'Albin était mon frère. Je n'ai pas assez de ce qu'on me donne ici pour manger. Même en n'achetant que du pain avec le peu que je gagne, cela ne suffirait pas. Albin partageait sa ration avec moi ; je l'ai aimé d'abord parce qu'il m'a nourri, ensuite parce qu'il m'a aimé. Le directeur, monsieur D., nous a séparés. Cela ne lui faisait rien que nous fussions ensemble ; mais c'est un méchant homme, qui jouit de tourmenter. Je lui ai redemandé Albin. Vous avez vu ? Il n'a pas voulu. Je lui ai donné jusqu'au 4 novembre pour me rendre Albin. Il m'a fait mettre au cachot pour avoir dit cela. Moi, pendant ce temps-là, je l'ai jugé et je l'ai condamné à mort*. Nous sommes le 4 novembre. Il viendra dans deux heures faire sa tournée. Je vous préviens que je vais le tuer. Avez-vous quelque chose à dire à cela ?

* Textuel.

Tous gardèrent le silence.

Claude reprit. Il parla, à ce qu'il paraît, avec une éloquence singulière, qui d'ailleurs lui était naturelle. Il déclara qu'il savait bien qu'il allait faire une action violente, mais qu'il ne croyait pas avoir tort. Il attesta la conscience des quatre-vingt-un voleurs qui l'entouraient[1]. Qu'il était dans une rude extrémité. Que la nécessité de se faire justice soi-même était un cul-de-sac où l'on se trouvait engagé quelquefois. Qu'à la vérité il ne pouvait prendre la vie du directeur sans donner la sienne propre, mais qu'il trouvait bon de donner sa vie pour une chose juste. Qu'il avait mûrement réfléchi, et à cela seulement, depuis deux mois. Qu'il croyait bien ne pas se laisser entraîner par le ressentiment, mais que, dans le cas où[2] cela serait, il suppliait qu'on l'en avertit. Qu'il soumettait honnêtement ses raisons aux hommes justes qui l'écoutaient. Qu'il allait donc tuer monsieur D., mais que, si quelqu'un avait une objection à lui faire, il était prêt à l'écouter.

Une voix seulement s'éleva, et dit qu'avant de tuer le directeur, Claude devait essayer une dernière fois de lui parler et de le fléchir.

— C'est juste, dit Claude, et je le ferai.

Huit heures sonnèrent à la grande horloge. Le directeur devait venir à neuf heures.

Une fois que cette étrange cour de cassation eut en quelque sorte ratifié la sentence qu'il avait portée, Claude reprit toute sa sérénité. Il mit sur une table tout ce qu'il possédait en linge et en vêtements, la pauvre dépouille du prisonnier, et, appelant l'un après l'autre ceux de ses compagnons qu'il aimait le plus après Albin, il leur distribua tout. Il ne garda que la petite paire de ciseaux.

Puis il les embrassa tous. Quelques-uns pleuraient, il souriait à ceux-là.

Il y eut, dans cette heure dernière, des instants où il causa avec tant de tranquillité et même de gaieté, que plusieurs de ses camarades espéraient intérieurement, comme ils l'ont déclaré depuis, qu'il abandonnerait peut-être sa résolution. Il s'amusa même une fois à éteindre une des rares chandelles qui éclairaient l'atelier avec le souffle de sa narine[1], car il avait de mauvaises habitudes d'éducation qui dérangeaient sa dignité naturelle plus souvent qu'il n'aurait fallu[2]. Rien ne pouvait faire que cet ancien gamin[3] des rues n'eût point par moments l'odeur du ruisseau de Paris.

Il aperçut un jeune condamné qui était pâle, qui le regardait avec des yeux fixes, et qui tremblait, sans doute de l'attente de ce qu'il allait voir.

— Allons, du courage, jeune homme ! lui dit Claude doucement, ce ne sera que l'affaire d'un instant.

Quand il eut distribué toutes ses hardes, fait tous ses adieux, serré toutes les mains, il interrompit quelques causeries inquiètes qui se faisaient çà et là dans les coins obscurs de l'atelier, et il commanda qu'on se remît au travail. Tous obéirent en silence.

L'atelier où ceci se passait était une salle oblongue, un long parallélogramme percé de fenêtres sur ses deux grands côtés, et de deux portes qui se regardaient à ses deux extrémités.

Les métiers étaient rangés de chaque côté près des fenêtres, les bancs touchant le mur à angle droit, et l'espace resté libre entre les deux rangées de métiers formait une sorte de longue voie qui allait en ligne droite de l'une des portes à l'autre et traversait ainsi toute la salle. C'était cette longue voie, assez étroite, que le directeur avait à parcourir en faisant son inspection ; il devait entrer par la porte sud et ressortir par la porte nord, après avoir regardé les travailleurs à droite et à gauche. D'ordinaire il faisait ce trajet assez rapidement et sans s'arrêter.

Claude s'était replacé lui-même à son banc, et il s'était remis au travail, comme Jacques Clément se fût remis à la prière[1].

Tous attendaient. Le moment approchait. Tout à coup on entendit un coup de cloche. Claude dit :

— C'est l'avant-quart[2].

Alors il se leva, traversa gravement une partie de la salle, et alla s'accouder sur l'angle du premier métier à gauche, tout à côté de la porte d'entrée. Son visage était parfaitement calme et bienveillant.

Neuf heures sonnèrent. La porte s'ouvrit. Le directeur entra.

En ce moment-là, il se fit dans l'atelier un silence de statues.

Le directeur était seul comme d'habitude.

Il entra avec sa figure joviale, satisfaite et inexorable, ne vit pas Claude qui était debout à gauche de la porte, la main droite cachée dans son pantalon, et passa rapidement devant les premiers métiers, hochant la tête, mâchant ses paroles, et jetant çà et là son regard banal, sans s'apercevoir que tous les yeux qui l'entouraient étaient fixés sur une idée terrible.

Tout à coup il se détourna brusquement, surpris d'entendre un pas derrière lui.

C'était Claude, qui le suivait en silence depuis quelques instants.

— Que fais-tu là, toi ? dit le directeur ; pourquoi n'es-tu pas à ta place ?

Car un homme n'est plus un homme là, c'est un chien, on le tutoie[1].

Claude Gueux répondit respectueusement :

— C'est que j'ai à vous parler, monsieur le directeur.

— De quoi ?

— D'Albin.

— Encore ! dit le directeur.

— Toujours ! dit Claude.

— Ah ça ! reprit le directeur continuant de marcher, tu n'as donc pas eu assez de vingt-quatre heures de cachot ?

Claude répondit en continuant de le suivre :

— Monsieur le directeur, rendez-moi mon camarade.

— Impossible !

— Monsieur le directeur, dit Claude avec une voix qui eût attendri le démon, je vous en supplie, remettez Albin avec moi ; vous verrez comme je travaillerai bien. Vous qui êtes libre, cela vous est égal, vous ne savez pas ce que c'est qu'un ami ; mais, moi, je n'ai que les quatre murs de la prison. Vous pouvez aller et venir, vous, moi

je n'ai qu'Albin. Rendez-le-moi. Albin me nourrissait, vous le savez bien. Cela ne vous coûterait
que la peine de dire oui. Qu'est-ce que cela vous
fait qu'il y ait dans la même salle un homme qui
s'appelle Claude Gueux et un autre qui s'appelle
Albin ? Car ce n'est pas plus compliqué que cela.
Monsieur le directeur, mon bon monsieur D., je
vous supplie vraiment, au nom du ciel !

Claude n'en avait peut-être jamais tant dit à la
fois à un geôlier. Après cet effort, épuisé, il attendit. Le directeur répliqua avec un geste d'impa-
tience :

— Impossible. C'est dit. Voyons, ne m'en reparle
plus. Tu m'ennuies.

Et, comme il était pressé, il doubla le pas.
Claude aussi. En parlant ainsi, ils étaient arrivés
tous deux près de la porte de sortie ; les quatre-
vingts voleurs regardaient et écoutaient, hale-
tants.

Claude toucha doucement le bras du directeur.

— Mais au moins que je sache pourquoi je
suis condamné à mort. Dites-moi pourquoi vous
l'avez séparé de moi.

— Je te l'ai déjà dit, répondit le directeur.
Parce que.

Et, tournant le dos à Claude, il avança la main
vers le loquet de la porte de sortie.

À la réponse du directeur, Claude avait reculé
d'un pas. Les quatrevingts statues qui étaient
là virent sortir de son pantalon sa main droite
avec la hache. Cette main se leva, et, avant que
le directeur eût pu pousser un cri, trois coups
de hache, chose affreuse à dire, assénés tous les

trois dans la même entaille, lui avaient ouvert le crâne. Au moment où il tombait à la renverse, un quatrième coup lui balafra le visage ; puis, comme une fureur lancée ne s'arrête pas court, Claude Gueux lui fendit la cuisse droite d'un cinquième coup inutile[1]. Le directeur était mort.

Alors Claude jeta la hache et cria : *À l'autre maintenant !* L'autre, c'était lui. On le vit tirer de sa veste les petits ciseaux de « sa femme », et, sans que personne songeât à l'en empêcher, il se les enfonça dans la poitrine. La lame était courte, la poitrine était profonde. Il y fouilla longtemps et à plus de vingt reprises en criant : « Cœur de damné, je ne te trouverai donc pas ! » Et enfin il tomba baigné dans son sang, évanoui sur le mort[2].

Lequel des deux était la victime de l'autre ?

Quand Claude reprit connaissance, il était dans un lit, couvert de linges et de bandages, entouré de soins. Il avait auprès de son chevet de bonnes sœurs de charité, et de plus un juge d'instruction qui instrumentait[3] et qui lui demanda avec beaucoup d'intérêt : *Comment vous trouvez-vous ?*

Il avait perdu une grande quantité de sang, mais les ciseaux avec lesquels il avait eu la superstition touchante de se frapper avaient mal fait leur devoir ; aucun des coups qu'il s'était portés n'était dangereux. Il n'y avait de mortelles pour lui que les blessures qu'il avait faites à M. D.

Les interrogatoires commencèrent. On lui demanda si c'était lui qui avait tué le directeur des ateliers de la prison de Clairvaux. Il répondit : *Oui*. On lui demanda pourquoi. Il répondit : *Parce que*.

Cependant, à un certain moment, ses plaies s'envenimèrent ; il fut pris d'une fièvre mauvaise dont il faillit mourir.

Novembre, décembre, janvier et février se passèrent en soins et en préparatifs ; médecins et juges s'empressaient autour de Claude ; les uns guérissaient ses blessures, les autres dressaient son échafaud[1].

Abrégeons. Le 16 mars 1832, il parut, étant parfaitement guéri, devant la cour d'assises de Troyes. Tout ce que la ville peut donner de foule était là[2].

Claude eut une bonne attitude devant la cour. Il s'était fait raser avec soin, il avait la tête nue, il portait ce morne habit des prisonniers de Clairvaux, mi-parti de deux espèces de gris.

Le procureur du roi avait encombré la salle de toutes les bayonnettes[3] de l'arrondissement, « afin, dit-il à l'audience, de contenir tous les scélérats qui devaient figurer comme témoins dans cette affaire[4] ».

Lorsqu'il fallut entamer les débats, il se présenta une difficulté singulière. Aucun des témoins des événements du 4 novembre ne voulait déposer contre Claude. Le président les menaça de son pouvoir discrétionnaire[5]. Ce fut en vain. Claude alors leur commanda de déposer. Toutes les langues se délièrent. Ils dirent ce qu'ils avaient vu.

Claude les écoutait tous avec une profonde attention. Quand l'un d'eux, par oubli, ou par affection pour Claude, omettait des faits à la charge de l'accusé, Claude les rétablissait.

De témoignage en témoignage, la série des

faits que nous venons de développer se déroula devant la cour.

Il y eut un moment où les femmes qui étaient là pleurèrent. L'huissier appela le condamné Albin. C'était son tour de déposer. Il entra en chancelant ; il sanglotait. Les gendarmes ne purent empêcher qu'il n'allât tomber dans les bras de Claude. Claude le soutint et dit en souriant au procureur du roi : « Voilà un scélérat qui partage son pain avec ceux qui ont faim. » Puis il baisa la main d'Albin.

La liste des témoins épuisée, M. le procureur du roi se leva et prit la parole en ces termes : « Messieurs les jurés, la société serait ébranlée jusque dans ses fondements, si la vindicte publique n'atteignait pas les grands coupables comme celui qui, etc. »

Après ce discours mémorable, l'avocat de Claude parla. La plaidoirie contre et la plaidoirie pour firent, chacune à leur tour, les évolutions qu'elles ont coutume de faire dans cette espèce d'hippodrome qu'on appelle un procès criminel.

Claude jugea que tout n'était pas dit. Il se leva à son tour. Il parla de telle sorte qu'une personne intelligente qui assistait à cette audience s'en revint frappée d'étonnement.

Il paraît que ce pauvre ouvrier contenait bien plutôt un orateur qu'un assassin. Il parla debout, avec une voix pénétrante et bien ménagée[1], avec un œil clair, honnête et résolu, avec un geste presque toujours le même, mais plein d'empire. Il dit les choses comme elles étaient, simplement, sérieusement, sans charger ni amoindrir, convint

de tout, regarda l'article 296 en face, et posa sa
tête dessous[1]. Il eut des moments de véritable
haute éloquence qui faisaient remuer la foule, et
où l'on se répétait à l'oreille dans l'auditoire ce
qu'il venait de dire.

Cela faisait un murmure pendant lequel Claude
reprenait haleine en jetant un regard fier sur les
assistants[2].

Dans d'autres instants, cet homme qui ne
savait pas lire était doux, poli, choisi, comme
un lettré ; puis, par moments encore, modeste,
mesuré, attentif, marchant pas à pas dans la partie irritante de la discussion, bienveillant pour
les juges.

Une fois seulement, il se laissa aller à une
secousse de colère. Le procureur du roi avait établi dans le discours que nous avons cité en entier[3]
que Claude Gueux avait assassiné le directeur des
ateliers sans voie de fait ni violence de la part du
directeur, par conséquent *sans provocation*.

— Quoi ! s'écria Claude, je n'ai pas été provoqué ! Ah ! oui, vraiment, c'est juste, je vous com-
prends. Un homme ivre me donne un coup de
poing, je le tue, j'ai été provoqué, vous me faites
grâce, vous m'envoyez aux galères. Mais un
homme qui n'est pas ivre et qui a toute sa raison me comprime le cœur pendant quatre ans,
m'humilie pendant quatre ans, me pique tous les
jours, toutes les heures, toutes les minutes, d'un
coup d'épingle à quelque place inattendue pendant quatre ans[4] ! J'avais une femme pour qui j'ai
volé, il me torture avec cette femme ; j'avais un
enfant pour qui j'ai volé, il me torture avec cet

enfant ; je n'ai pas assez de pain, un ami m'en donne, il m'ôte mon ami et mon pain. Je redemande mon ami, il me met au cachot. Je lui dis *vous*, à lui mouchard[1], il me dit *tu*. Je lui dis que je souffre, il me dit que je l'ennuie. Alors que voulez-vous que je fasse ? Je le tue. C'est bien, je suis un monstre, j'ai tué cet homme, je n'ai pas été provoqué, vous me coupez la tête. Faites !

Mouvement sublime, selon nous[2], qui faisait tout à coup surgir, au-dessus du système de la provocation matérielle, sur lequel s'appuie l'échelle mal proportionnée des circonstances atténuantes, toute une théorie de la provocation morale oubliée par la loi[3].

Les débats fermés, le président fit son résumé impartial et lumineux. Il en résulta ceci : une vilaine vie ; un monstre en effet ; Claude Gueux avait commencé par vivre en concubinage avec une fille publique ; puis il avait volé ; puis il avait tué. Tout cela était vrai[4].

Au moment d'envoyer les jurés dans leur chambre, le président demanda à l'accusé s'il avait quelque chose à dire sur la position des questions.

Peu de chose, dit Claude. Voici, pourtant. Je suis un voleur et un assassin ; j'ai volé et tué. Mais pourquoi ai-je volé ? pourquoi ai-je tué ? Posez-vous ces deux questions à côté des autres, messieurs les jurés.

Après un quart d'heure de délibération, sur la déclaration des douze champenois[5] qu'on appelait *messieurs les jurés*, Claude Gueux fut condamné à mort.

Il est certain que, dès l'ouverture des débats, plusieurs d'entre eux avaient remarqué que l'accusé s'appelait *Gueux*[1], ce qui leur avait fait une impression profonde.

On lut son arrêt à Claude, qui se contenta de dire :

— *C'est bien. Mais pourquoi cet homme a-t-il volé ? Pourquoi cet homme a-t-il tué ? Voilà deux questions auxquelles ils ne répondent pas.*

Rentré dans la prison, il soupa presque gaiement et dit :

— Trente-six ans de faits !

Il ne voulut pas se pourvoir en cassation[2]. Une des sœurs qui l'avaient soigné vint l'en prier avec larmes. Il se pourvut par complaisance pour elle. Il paraît qu'il résista jusqu'au dernier instant, car, au moment où il signa son pourvoi sur le registre du greffe, le délai légal des trois jours était expiré depuis quelques minutes.

La pauvre fille reconnaissante lui donna cinq francs. Il prit l'argent et la remercia[3].

Pendant que son pourvoi pendait, des offres d'évasion lui furent faites par les prisonniers de Troyes, qui s'y dévouaient tous. Il refusa.

Les détenus jetèrent successivement dans son cachot, par le soupirail, un clou, un morceau de fil de fer et une anse de seau. Chacun de ces trois outils eût suffi, à un homme aussi intelligent que l'était Claude, pour limer ses fers. Il remit l'anse, le fil de fer et le clou au guichetier[4].

Le 8 juin 1832, sept mois et quatre jours après le fait, l'expiation arriva, *pede claudo*[5], comme on voit. Ce jour-là, à sept heures du matin, le greffier du tribunal entra dans le cachot de Claude, et lui annonça qu'il n'avait plus qu'une heure à vivre.

Son pourvoi était rejeté[1].

— Allons, dit Claude froidement, j'ai bien dormi cette nuit, sans me douter que je dormirais encore mieux la prochaine[2].

Il paraît que les paroles des hommes forts doivent toujours recevoir de l'approche de la mort une certaine grandeur.

Le prêtre arriva, puis le bourreau. Il fut humble avec le prêtre, doux avec l'autre. Il ne refusa ni son âme, ni son corps.

Il conserva une liberté d'esprit parfaite. Pendant qu'on lui coupait les cheveux, quelqu'un parla, dans un coin du cachot, du choléra qui menaçait Troyes en ce moment.

— Quant à moi, dit Claude avec un sourire, je n'ai pas peur du choléra[3].

Il écoutait d'ailleurs le prêtre avec une attention extrême, en s'accusant beaucoup et en regrettant de n'avoir pas été instruit dans la religion[4].

Sur sa demande, on lui avait rendu les ciseaux avec lesquels il s'était frappé. Il y manquait une lame, qui s'était brisée dans sa poitrine. Il pria le geôlier de faire porter de sa part ces ciseaux à Albin. Il dit aussi qu'il désirait qu'on ajoutât à ce legs la ration de pain qu'il aurait dû manger ce jour-là.

Il pria ceux qui lui lièrent les mains de mettre dans sa main droite la pièce de cinq francs que lui avait donnée la sœur, la seule chose qui lui restât désormais.

À huit heures moins un quart, il sortit de la prison, avec tout le lugubre cortége ordinaire des condamnés. Il était à pied, pâle, l'œil fixé sur le crucifix du prêtre, mais marchant d'un pas ferme.

On avait choisi ce jour-là pour l'exécution, parce que c'était jour de marché, afin qu'il y eût le plus de regards possible sur son passage[1] ; car il paraît qu'il y a encore en France des bourgades à demi sauvages où, quand la société tue un homme[2], elle s'en vante.

Il monta sur l'échafaud gravement, l'œil toujours fixé sur le gibet du Christ[3]. Il voulut embrasser le prêtre, puis le bourreau, remerciant l'un, pardonnant à l'autre. Le bourreau *le repoussa doucement*, dit une relation[4]. Au moment où l'aide le liait sur la hideuse mécanique, il fit signe au prêtre de prendre la pièce de cinq francs qu'il avait dans sa main droite, et lui dit :

— *Pour les pauvres*[5].

Comme huit heures sonnaient en ce moment, le bruit du beffroi de l'horloge couvrit sa voix, et le confesseur lui répondit qu'il n'entendait pas. Claude attendit l'intervalle de deux coups et répéta avec douceur :

— *Pour les pauvres*.

Le huitième coup n'était pas encore sonné que cette noble et intelligente tête était tombée.

Admirable effet des exécutions publiques ! ce jour-là même, la machine étant encore debout au milieu d'eux et pas lavée, les gens du marché s'ameutèrent pour une question de tarif et faillirent massacrer un employé de l'octroi[6]. Le doux peuple que vous font ces lois-là !

Nous avons cru devoir raconter en détail l'histoire de Claude Gueux, parce que, selon nous, tous les paragraphes de cette histoire pourraient servir de têtes de chapitre au livre où serait résolu le grand problème du peuple au dix-neuvième siècle.

Dans cette vie importante il y a deux phases principales : avant la chute, après la chute ; et, sous ces deux phases, deux questions : question de l'éducation, question de la pénalité ; et, entre ces deux questions, la société tout entière.

Cet homme, certes, était bien né, bien organisé, bien doué. Que lui a-t-il donc manqué ? Réfléchissez.

C'est là le grand problème de proportion dont la solution, encore à trouver, donnera l'équilibre universel : *Que la société fasse toujours pour l'individu autant que la nature.*

Voyez Claude Gueux. Cerveau bien fait, cœur bien fait, sans nul doute. Mais le sort le met dans une société si mal faite, qu'il finit par voler ; la société le met dans une prison si mal faite, qu'il finit par tuer[1].

Qui est réellement coupable ?

Est-ce lui ?

Est-ce nous ?

Questions sévères, questions poignantes, qui sollicitent à cette heure toutes les intelligences, qui nous tirent tous tant que nous sommes par le pan de notre habit, et qui nous barreront un jour si complètement le chemin, qu'il faudra bien les regarder en face et savoir ce qu'elles nous veulent.

Celui qui écrit ces lignes essaiera de dire bientôt peut-être de quelle façon il les comprend.

Quand on est en présence de pareils faits, quand on songe à la manière dont ces questions nous pressent, on se demande à quoi pensent ceux qui gouvernent, s'ils ne pensent pas à cela[1].

Les Chambres, tous les ans, sont gravement occupées[2]. Il est sans doute très important de désenfler les sinécures et d'écheniller le budget ; il est très important de faire des lois pour que j'aille, déguisé en soldat, monter patriotiquement la garde à la porte de M. le comte de Lobau[3], que je ne connais pas et que je ne veux pas connaître, ou pour me contraindre à parader au carré Marigny[4], sous le bon plaisir de mon épicier, dont on a fait mon officier*[5].

Il est important, députés ou ministres, de fatiguer et de tirailler toutes les choses et toutes les idées de ce pays dans des discussions pleines d'avortements ; il est essentiel, par exemple, de mettre sur la sellette et d'interroger et de questionner à grands cris, et sans savoir ce qu'on dit, l'art du dix-neuvième siècle, ce grand et sévère accusé qui ne daigne pas répondre et qui fait bien ; il est expédient de passer son temps, gouvernants et législateurs, en conférences classiques qui font hausser les épaules aux maîtres d'école de la banlieue ; il est utile de déclarer que c'est le

---

* Il va sans dire que nous n'entendons pas attaquer ici la patrouille urbaine, chose utile, qui garde la rue, le seuil et le foyer ; mais seulement la parade, le pompon, la gloriole et le tapage militaire, choses ridicules, qui ne servent qu'à faire du bourgeois une parodie du soldat.

drame moderne qui a inventé l'inceste, l'adultère, le parricide, l'infanticide et l'empoisonnement, et de prouver par là qu'on ne connaît ni Phèdre, ni Jocaste, ni Œdipe, ni Médée, ni Rodogune[1] ; il est indispensable que les orateurs politiques de ce pays ferraillent, trois grands jours durant, à propos du budget, pour Corneille et Racine, contre on ne sait qui, et profitent de cette occasion littéraire pour s'enfoncer les uns les autres à qui mieux mieux dans la gorge de grandes fautes de français jusqu'à la garde[2].

Tout cela est important ; nous croyons cependant qu'il pourrait y avoir des choses plus importantes encore.

Que dirait la Chambre, au milieu des futiles démêlés qui font si souvent colleter le ministère par l'opposition et l'opposition par le ministère, si, tout à coup, des bancs de la Chambre ou de la tribune publique, qu'importe ? quelqu'un se levait et disait ces sérieuses paroles :

« Taisez-vous, qui que vous soyez, vous qui parlez ici, taisez-vous[3] ! vous croyez être dans la question, vous n'y êtes pas.

La question, la voici. La justice vient, il y a un an à peine, de déchiqueter un homme à Pamiers avec un eustache[4] ; à Dijon, elle vient d'arracher la tête à une femme ; à Paris, elle fait, barrière Saint-Jacques, des exécutions inédites[5].

Ceci est la question. Occupez-vous de ceci.

Vous vous querellerez après pour savoir si les boutons de la garde nationale doivent être blancs ou jaunes, et si l'*assurance* est une plus belle chose que la *certitude*[6].

Messieurs des centres, messieurs des extrémités, le gros du peuple souffre.

Que vous l'appeliez république ou que vous l'appeliez monarchie[1], le peuple souffre, ceci est un fait.

Le peuple a faim, le peuple a froid. La misère le pousse au crime ou au vice, selon le sexe. Ayez pitié du peuple, à qui le bagne prend ses fils, et le lupanar ses filles. Vous avez trop de forçats, vous avez trop de prostituées.

Que prouvent ces deux ulcères ?

Que le corps social a un vice dans le sang.

Vous voilà réunis en consultation au chevet du malade ; occupez-vous de la maladie.

Cette maladie, vous la traitez mal. Étudiez-la mieux. Les lois que vous faites, quand vous en faites, ne sont que des palliatifs et des expédients. Une moitié de vos codes est routine, l'autre moitié empirisme.

La flétrissure[2] était une cautérisation qui gangrenait la plaie ; peine insensée que celle qui pour la vie scellait et rivait le crime sur le criminel ! qui en faisait deux amis, deux compagnons, deux inséparables !

Le bagne est un vésicatoire absurde qui laisse résorber[3], non sans l'avoir rendu pire encore, presque tout le mauvais sang qu'il extrait. La peine de mort est une amputation barbare.

Or, flétrissure, bagne, peine de mort, trois choses qui se tiennent. Vous avez supprimé la flétrissure ; si vous êtes logiques, supprimez le reste.

Le fer rouge, le boulet et le couperet, c'étaient les trois parties d'un syllogisme.

Vous avez ôté le fer rouge ; le boulet et le couperet n'ont plus de sens. Farinace[1] était atroce ;
mais il n'était pas absurde.

Démontez-moi cette vieille échelle boiteuse des
crimes et des peines, et refaites-la. Refaites votre
pénalité, refaites vos codes, refaites vos prisons,
refaites vos juges. Remettez les lois au pas des
mœurs.

Messieurs, il se coupe trop de têtes par an en
France[2]. Puisque vous êtes en train de faire des
économies, faites-en là-dessus.

Puisque vous êtes en verve de suppressions,
supprimez le bourreau. Avec la solde de vos
quatre-vingts bourreaux, vous payerez six cents
maîtres d'école.

Songez au gros du peuple. Des écoles pour les
enfants, des ateliers pour les hommes.

Savez-vous que la France est un des pays de
l'Europe où il y a le moins de natifs qui sachent
lire[3] ? Quoi ! la Suisse sait lire, la Belgique sait
lire, le Danemark sait lire, la Grèce sait lire, l'Ir-
lande sait lire, et la France ne sait pas lire ! c'est
une honte.

Allez dans les bagnes. Appelez autour de vous
toute la chiourme. Examinez un à un tous ces
damnés de la loi humaine. Calculez l'inclinaison
de tous ces profils, tâtez tous ces crânes[4]. Chacun de ces hommes tombés a au-dessous de lui
son type bestial ; il semble que chacun d'eux soit
le point d'intersection de telle ou telle espèce
animale avec l'humanité. Voici le loup-cervier,
voici le chat, voici le singe, voici le vautour, voici
l'hyène. Or, de ces pauvres têtes mal conformées,

le premier tort est à la nature sans doute, le second à l'éducation.

La nature a mal ébauché, l'éducation a mal retouché l'ébauche. Tournez vos soins de ce côté. Une bonne éducation au peuple. Développez de votre mieux ces malheureuses têtes, afin que l'intelligence qui est dedans puisse grandir.

Les nations ont le crâne bien ou mal fait selon leurs institutions.

Rome et la Grèce avaient le front haut. Ouvrez le plus que vous pourrez l'angle facial du peuple[1].

Quand la France saura lire, ne laissez pas sans direction cette intelligence que vous aurez développée. Ce serait un autre désordre. L'ignorance vaut encore mieux que la mauvaise science. Non. Souvenez-vous qu'il y a un livre plus philosophique que le *Compère Mathieu*[2], plus populaire que le *Constitutionnel*, plus éternel que la charte de 1830[3] ; c'est l'Écriture sainte. Et ici un mot d'explication.

Quoi que vous fassiez, le sort de la grande foule, de la multitude, de la *majorité*, sera toujours relativement pauvre, et malheureux, et triste[4]. À elle le dur travail, les fardeaux à pousser, les fardeaux à traîner, les fardeaux à porter.

Examinez cette balance : toutes les jouissances dans le plateau du riche, toutes les misères dans le plateau du pauvre. Les deux parts ne sont-elles pas inégales ? La balance ne doit-elle pas nécessairement pencher, et l'état avec elle ?

Et maintenant dans le lot du pauvre, dans le plateau des misères, jetez la certitude d'un avenir céleste, jetez l'aspiration au bonheur éternel, jetez le paradis, contre-poids magnifique ! Vous rétablissez l'équilibre. La part du pauvre est aussi riche que la part du riche.

C'est ce que savait Jésus, qui en savait plus long que Voltaire.

Donnez au peuple qui travaille et qui souffre, donnez au peuple, pour qui ce monde-ci est mauvais, la croyance à un meilleur monde fait pour lui.

Il sera tranquille, il sera patient. La patience est faite d'espérance.

Donc ensemencez les villages d'évangiles. Une Bible par cabane. Que chaque livre et chaque champ produisent à eux deux un travailleur moral.

La tête de l'homme du peuple, voilà la question. Cette tête est pleine de germes utiles. Employez pour la faire mûrir et venir à bien ce qu'il y a de plus lumineux et de mieux tempéré dans la vertu.

Tel a assassiné sur les grandes routes qui, mieux dirigé, eût été le plus excellent serviteur de la cité.

Cette tête de l'homme du peuple, cultivez-la, défrichez-la, arrosez-la, fécondez-la, éclairez-la, moralisez-la, utilisez-la ; vous n'aurez pas besoin de la couper[1]. »

DOSSIER

CHRONOLOGIE

1802. *26 février* : naissance à Besançon de Victor Marie Hugo, troisième fils de Léopold Hugo, chef de bataillon, et de Sophie Trébuchet, tous deux âgés de vingt-neuf ans, mariés depuis 1797. L'aîné des enfants, Abel, a trois ans ; le deuxième, Eugène, n'a pas tout à fait un an et demi.

1812. *Octobre* : accusé d'avoir conspiré contre l'Empereur, le parrain de Victor, Lahorie, est fusillé, ainsi que les généraux Malet et Guidal.

1814. Après la première abdication de Napoléon, Victor et ses frères sont faits « chevaliers du lis ».

1818. *3 février* : jugement de séparation de ses parents.

1821. *27 juin* : mort de sa mère.

1822. *12 octobre* : mariage avec Adèle Foucher.

1823. *8 février* : *Han d'Islande*.

1824. *28 août* : naissance de Léopoldine.

1826. *30 janvier* : *Bug-Jargal*.
      2 novembre : naissance de Charles.

1827. *Décembre* : publication de *Cromwell*, précédé d'une importante préface.

1828. *29 janvier* : mort de son père.
      13 février : unique représentation, à l'Odéon, d'*Amy Robsart* ; Paul Foucher, son beau-frère, est censé en être l'auteur.
      Août : *Odes et Ballades* (édition complétée).

21 octobre : naissance de Victor, qui publiera sous le prénom de François-Victor.

1829. *19 janvier* : *Les Orientales*.

3 février : *Le Dernier Jour d'un condamné* (sans nom d'auteur).

1ᵉʳ août : interdiction de *Marion de Lorme*.

1830. *25 février* : première d'*Hernani*, à la Comédie-Française.

24 août : naissance d'Adèle.

1831. *16 mars* : *Notre-Dame de Paris*.

11 août : première de *Marion de Lorme*, au théâtre de la Porte Saint-Martin.

30 novembre : *Les Feuilles d'automne*.

1832. *15 mars* : *Le Dernier Jour d'un condamné* (avec une nouvelle préface).

19 mars : article de la *Gazette des tribunaux* sur la condamnation à mort par la cour d'assises de Troyes, le 16, de Claude Gueux.

Avril-septembre : épidémie de choléra à Paris.

5 juin : funérailles du général Lamarque ; début d'une insurrection républicaine à Paris, dont Hugo fera le récit dans *Les Misérables*.

Septembre : rédaction de ce qui constituera la conclusion de *Claude Gueux* en 1834.

25 octobre : emménagement dans un appartement loué au 2ᵉ étage du 6, place Royale (actuelle place des Vosges).

22 novembre : *Le Roi s'amuse* (première à la Comédie-Française ; les représentations sont suspendues le lendemain et le drame interdit le 10 décembre).

1833. *2 février* : première de *Lucrèce Borgia*, au théâtre de la Porte Saint-Martin.

16 février : première nuit partagée avec Juliette Drouet, interprète de la princesse Negroni dans *Lucrèce Borgia*.

6 novembre : première de *Marie Tudor*, au théâtre de la Porte Saint-Martin.

1834. *15 janvier* : *Étude sur Mirabeau*.

19 mars : *Littérature et Philosophie mêlées*.

6 juillet : parution de *Claude Gueux*.

30 juillet : le négociant Carlier écrit à la *Revue de Paris* et demande qu'on envoie à ses frais des tirés à part de *Claude Gueux* à tous les députés.

1835. *28 avril* : première d'*Angelo, tyran de Padoue*, à la Comédie-Française.

27 octobre : *Les Chants du crépuscule*.

1836. *14 novembre* : première de *La Esmeralda*, opéra, livret adapté de *Notre-Dame de Paris*, musique de Louise Bertin.

1837. *20 février* : mort de son frère Eugène.

Juin : *Les Voix intérieures*.

1838. *8 novembre* : *Ruy Blas*, au théâtre de la Renaissance.

1839. *26 juillet-23 août* : rédaction d'un drame, *Les Jumeaux*, « interrompu » au milieu du troisième acte (il ne sera en fait jamais achevé).

1840. *Mai* : *Les Rayons et les Ombres*.

1841. *7 janvier* : élection à l'Académie française.

1842. *28 janvier* : *Le Rhin*.

1843. *15 février* : mariage de Léopoldine avec Charles Vacquerie.

7 mars : *Les Burgraves* (première à la Comédie-Française).

4 septembre : Léopoldine et son mari se noient à Villequier.

1845. *13 avril* : nommé pair de France.

5 juillet : flagrant délit d'adultère.

17 novembre : début de la rédaction d'un roman qui deviendra *Les Misérables*.

1846. *21 juin* : mort, à l'âge de vingt ans, de Claire, fille de Juliette Drouet et du sculpteur Pradier.

20 juillet : début d'un *Journal de ce que j'apprends chaque jour*.

1848. *24 février* : interruption de la rédaction des *Misé-*

rables « pour cause de révolution » ; la République est proclamée.

5 juin : élection à l'Assemblée constituante.

1er juillet : départ de l'appartement de la place des Vosges.

1849. *13 mai* : élection à l'Assemblée législative.

9 juillet : discours sur la misère.

21 et 24 août : discours au Congrès de la Paix.

1850. *15 janvier* : discours sur la liberté de l'enseignement. Rupture définitive avec la Droite.

1851. *2 décembre* : membre du comité de résistance contre le coup d'État de Louis-Napoléon Bonaparte ; le 11, il quitte clandestinement la France pour la Belgique.

1852. *9 janvier* : décret de bannissement.

5 août : *Napoléon le Petit*. Débarquement à Jersey.

16 août : emménagement à Marine Terrace.

1853. *11 septembre* : première séance de communication par les Tables (médium : Charles).

21 novembre : publication de *Châtiments*.

1854. *14 mai* : achèvement de la rédaction de *La Forêt mouillée*.

1855. *12 avril* : achèvement d'une première version de « Solitudines coeli », destiné au poème *Dieu*.

9 octobre : fin des séances de communication par les Tables.

31 octobre : suite à un arrêté d'expulsion, départ pour Guernesey.

1856. *23 avril* : *Les Contemplations*.

26 avril : début de rédaction d'un ensemble destiné à ouvrir *Dieu*.

5 novembre : emménagement à Hauteville House

1857. *25 décembre* : achèvement de « La Révolution » (sauf l'épilogue), destiné aux *Petites Épopées* et qui paraîtra finalement dans *Les Quatre Vents de l'esprit*.

1858. *1er janvier* : achèvement de *La Pitié suprême*.

23 mai : achèvement de *L'Âne* (sauf le préambule de 16 vers ajouté en 1880).

1859. *18 août* : refus de l'amnistie, décrétée le 16.

26 septembre : publication de *La Légende des siècles* (Première Série).

1860. *15 avril* : dernière date figurant sur le manuscrit de *La Fin de Satan*.

25 avril : *Les Misérables* « tirés de la malle aux manuscrits ».

1861. *27 décembre* : album de *Dessins*, gravés par Paul Chenay et présentés par Théophile Gautier.

1862. *3 avril-30 juin* : *Les Misérables* publiés.

1863. *16 juin* : *Victor Hugo raconté par un témoin de sa vie* (Adèle, avec le concours de son fils Charles et d'Auguste Vacquerie).

18 juin : sa fille Adèle quitte définitivement Guernesey.

1864. *14 avril* : *William Shakespeare*.

1865. *18-24 juin* : rédaction de *La Grand'Mère*.

17 octobre : mariage de Charles avec Alice Lehaene.

25 octobre : *Les Chansons des rues et des bois*.

1866. *5 février-15 avril* : rédaction de *Mille francs de récompense*.

Mars : *Les Travailleurs de la mer*.

7-14 mai : rédaction de *L'Intervention*.

1867. *18 janvier-27 avril et octobre* : rédaction de *Mangeront-ils ?*.

11 mai : Introduction à *Paris-Guide*.

20 juin : reprise d'*Hernani*, à la Comédie-Française.

20 novembre : achevé d'imprimer de *La Voix de Guernesey* (sur Garibaldi vaincu à Mentana).

1868. *16 août* : naissance de Georges, fils d'Alice et de Charles.

27 août : mort de sa femme, Adèle Hugo.

21 septembre-4 octobre : rédaction de *Zut, dit Mémorency* (disparu).

1869. *21 janvier-24 février* : rédaction de *L'Epée*.

4 mars-3 avril : achèvement des *Deux Trouvailles de Gallus*, commencées début janvier.

19 avril-7 mai : *L'Homme qui Rit*.

1er mai-4 juillet : rédaction de *Torquemada*.

3 mai : premier numéro du journal *Le Rappel*, daté du 4 ; fondateurs : Charles et François-Victor, Meurice, Vacquerie, Rochefort.

14-22 juillet : rédaction de *Welf, castellan d'Osbor*.

14-18 septembre : discours au Congrès de la Paix et de la Liberté de Lausanne.

29 septembre : naissance de Jeanne, fille d'Alice et de Charles.

1870. *19 juillet* : déclaration de guerre de la France à la Prusse.

5 septembre : le lendemain de la proclamation de la République, arrivée à Paris après dix-neuf ans d'exil.

20 octobre : première édition française des *Châtiments*.

1871. *8 février* : élection à l'Assemblée législative.

8 mars : démission en raison de l'invalidation de Garibaldi.

13 mars : mort subite de Charles.

18 mars : enterrement de Charles alors que s'insurge la Commune de Paris.

21 mars : départ pour Bruxelles afin de régler les affaires de Charles.

25 mai : offre d'asile aux communards proscrits.

27-28 mai : lapidation de son domicile.

30 mai : expulsion de Belgique.

1er juin-23 septembre : au Luxembourg.

2 juillet : non-élection aux législatives complémentaires.

25 septembre : retour à Paris

1872. *7 janvier* : nouvel échec électoral.

12 février : retour de sa fille Adèle de la Barbade ; elle sera placée en maison de santé.

16 mars : *Actes et Paroles. 1870-1872*.

20 avril : *L'Année terrible*.

10 août : retour à Hauteville House.

1873. *1er avril* : début d'une liaison avec Blanche Lanvin.

16 juin : achèvement de *Sur la lisière d'un bois*.

31 juillet : retour à Paris.

26 décembre : mort de François-Victor, atteint de tuberculose rénale.

1874. *19 février* : *Quatrevingt-Treize*.

1875. *Mai* : publication d'*Actes et Paroles, I, Avant l'exil*.
8 novembre : publication d'*Actes et Paroles, II, Pendant l'exil*.

1876. *30 janvier* : élection au Sénat.
5 juillet : publication d'*Actes et Paroles, III, Depuis l'exil*.

1877. *26 février* : Nouvelle Série de *La Légende des siècles*.
3 avril : Alice, veuve de Charles, épouse Edouard Lockroy.
14 mai : *L'Art d'être grand-père*.
16 mai : opposition au demi-coup d'État de Mac-Mahon.
1er octobre : *Histoire d'un crime* (tome premier).

1878. *15 mars* : *Histoire d'un crime* (tome second).
29 avril : *Le Pape*.
30 mai : discours pour le centenaire de Voltaire.

1879. *28 février* : discours au Sénat pour l'amnistie des condamnés de la Commune et publication de *La Pitié suprême*.

1880. *26 février* : préface à l'édition de ses *Œuvres complètes* qui va paraître progressivement chez Hetzel et Quantin.
Avril : *Religions et religion*.
3 juillet : nouveau discours au Sénat pour l'amnistie, qui est enfin votée.
24 octobre : *L'Âne*.

1881. *31 mai* : *Les Quatre Vents de l'esprit*.

1882. *8 janvier* : réélection au Sénat.
21 janvier : création de *Margarita*, première des *Deux Trouvailles de Gallus*.
26 mai : publication de *Torquemada*.
1er juin : protestation contre les massacres de juifs en Russie.

1883. *11 mai* : mort de Juliette Drouet.

9 juin : *La Légende des siècles* (série complémentaire).

2 août : codicille au testament.

6 octobre : publication de *L'Archipel de la Manche*.

22 septembre : la *Bibliographie de la France* annonce le tome I de *La Légende des siècles* (édition définitive).

3 novembre : annonce du tome II de *La Légende des siècles*.

1884. *2 février* : annonce des tomes III et IV de *La Légende des siècles*.

1885. *22 mai* : mort.

26 mai : l'église Sainte-Geneviève redevient, par décret, Panthéon pour qu'un tombeau puisse y être ménagé à Victor Hugo.

1er juin : funérailles nationales.

PUBLICATIONS POSTHUMES

1886. *La Fin de Satan.*
Théâtre en liberté.

1887 et 1900. *Choses vues.*

1888 et 1893. *Toute la lyre.*

1890. *Alpes et Pyrénées.*

1891. *Dieu.*

1892. *France et Belgique.*

1898. *Les Années funestes.*

1901. *Post-scriptum de ma vie.*

1901-1952. *Œuvres complètes* (Ollendorff, Albin Michel, Imprimerie nationale).

1902. *Dernière Gerbe.*

1934. *Mille francs de récompense* (dans un volume des *Œuvres complètes*).

1951. *L'Intervention* (dans *Pierres*).

NOTICE

Réception dans la presse de 1834

La publication initiale en revue semble avoir eu pour effet de susciter une bien moindre réception qu'une parution en volume. C'est dans une revue des revues, proposée par le mensuel *La France littéraire*, que l'on peut trouver un écho élogieux, signé « F. Lecler[1] ». L'esprit d'opposition, estime-t-il, « s'attaque aujourd'hui, non pas seulement aux formes gouvernementales, mais encore à la constitution actuelle de la société ; il en a bien le droit, car il y a partout bien des réformes à faire. [...] C'est dans ce but de réforme et de rénovation que M. Victor Hugo a écrit dans la *Revue de Paris* sa belle et grave histoire de Claude Gueux ». L'auteur interpelle, comme Hugo, ceux qui gouvernent : « vos prisons et vos bagnes vous rendent vos criminels plus criminels encore ». Il dégage les enjeux de cette mise en cause : donner la priorité à l'éducation est un moyen de « rétablir l'équilibre » dans la société ; et « par l'éducation, vous préviendriez ce que vous êtes obligés de punir ». La conclusion est des plus élogieuses : « L'histoire de *Claude Gueux* est une page magnifique que M. Victor Hugo pourrait ajouter à son beau plaidoyer contre la peine de mort [...]. Appeler l'attention des législateurs

---

1. *La France littéraire*, t. XIV, p. 121-122.

sur de telles questions, c'est sans contredit le meilleur
emploi que l'on puisse faire d'un beau talent et d'une
intelligence élevée. Quand l'humanité se met en marche,
c'est au génie qu'il appartient de porter le flambeau
devant elle, et d'éclairer la route. »

L'article non signé que fait paraître le 24 août *Le
Constitutionnel*, « Journal du commerce, politique et
littéraire », quotidien égratigné, il est vrai, dans la
conclusion de *Claude Gueux*, est nettement moins
enthousiaste. Il prétend prendre le contre-pied de Hugo
en soutenant qu'il y a eu progrès à changer les réfec-
toires des moines de Clairvaux en ateliers. Contestation
mal fondée car Hugo avait écrit : « Ce n'est pas l'atelier
que je blâme. » Après avoir reconnu dans le récit « un
talent rare » et « un intérêt [...] entretenu par des détails
que l'analyse peut à peine indiquer », l'auteur de l'article
entreprend de critiquer les « réflexions qui s'y mêlent
et surtout [...] celles qui suivent ». Il estime Hugo peu
exigeant dans sa revendication « *que la société fasse toujours pour l'individu autant que la nature* » : l'auteur,
selon lui, « aurait pu dire *plus que la nature* ». Il refuse
la mise en cause de la société dans la criminalité : « Les
hospices manquent-ils aux pauvres hors d'état de travailler ? [...] le pauvre en état de travailler ne trouve-t-il
pas des ateliers publics, et l'administration n'y multiplie-
t-elle pas les travaux bien au-delà de ses besoins, dans
l'intérêt des ouvriers ? » Il note que les jurys n'inclinent
pas à la sévérité et paralysent souvent la loi. Il concède
que « le régime des prisons » est « sévère » et « dictato-
rial » mais s'empresse d'ajouter : « En peut-il être autre-
ment ? ». Il blâme implicitement Claude de n'avoir pas
recouru à la protection d'un de ces inspecteurs des prisons, « hommes non moins recommandables par leur
perspicacité que par leur philanthropie », par lesquels
l'administration supérieure assure un contrepoids au
pouvoir du directeur. Enfin, se disant de l'avis de Hugo
sur la prévention du crime par l'éducation, il préconise

de commencer par apprendre aux enfants du peuple à venir dans les écoles où cet enseignement leur est offert « par un moyen dont ne s'effarouche pas la liberté toujours prête à crier contre toute espèce de contrainte ».

L'article du *Constitutionnel* n'est pas bien méchant mais il s'attire une vive réplique d'Alphonse Esquiros dans la livraison suivante de *La France littéraire*[1] : au lieu de « mettre dans tout son jour le côté vraiment rayonnant » de Claude Gueux, « il a levé le voile sur ce qu'il pouvait y avoir en lui d'obscur et de ténébreux ; au lieu d'une noble et intelligente tête, vous n'avez plus qu'un cœur bas et flétri ; le père a disparu sous le voleur ; l'ami sous l'assassin : en un mot, ce n'est plus qu'un de ces scélérats vulgaires, bons pour mourir sur un échafaud ». C'est donc au résumé de l'histoire par le quotidien que s'en prend le mensuel.

Qu'aurait-il écrit s'il avait eu connaissance de l'article de M. de Mongis, paru, si on en croit la datation indiquée par lui lors de sa réimpression quarante-deux ans plus tard, en juillet 1834, dans une « feuille littéraire et scientifique[2] » ? Le compte rendu de *Claude Gueux* par Charles-François Farcy, publié sous un titre ironique – « M. Victor Hugo dramatiste, artiste et moraliste » –, dans le numéro du 14 septembre 1834 du *Journal des Artistes*, va y puiser abondamment. Au lieu de s'en prendre, comme le journaliste du *Constitutionnel*, aux réflexions de Hugo, de Mongis et Farcy qui le relaie semblent avoir pour stratégie de les discréditer en sapant leurs fondements, en montrant que les faits sont tout autres que Hugo ne les présente. De Mongis, qui semble si bien informé à Farcy qu'il le prend pour un

1. *La France littéraire*, t. XV, p. 98.
2. De Mongis, *Proverbes en vers / Fables / Poésies diverses / Réquisitoires, discours, etc.*, 2ᵉ édition « très soigneusement revue et corrigée », Paris, Librairie Ch. Delagrave, 1876, p. 621-627. Il ne précise pas davantage la référence, et Paul Savey-Casard, dans son édition critique de *Claude Gueux* (PUF, 1956, p. 80), signale qu'il n'a pu retrouver le périodique de 1834 qui publia l'article.

des jurés du procès de Claude Gueux, est en fait celui qui, en tant que substitut du procureur, a prononcé le réquisitoire contre Albin quand celui-ci comparut à son tour. Il ne souffle mot de son rôle dans ce procès et prétend ne vouloir « faire connaître Albin Legrand » que parce qu'il « sert à faire connaître Claude Gueux ». Il désigne Claude comme « berger dans une commune du département de la Côte-d'Or » et attribue implicitement son chômage à la paresse : « Le travail ne manque, dans les campagnes, qu'aux ouvriers qui le fuient. » Il impute sa première condamnation au vol « d'un maître qui le nourrissait ». Volontairement ou par ignorance, du parcours de Claude, tel qu'on a pu le reconstituer d'après les archives, il ne retient que l'agression contre Delacelle, avec le sabre de celui-ci qu'il aurait essayé « de lui plonger dans la poitrine » et prétend – erreur ou mensonge délibéré – que les jurés l'en acquittèrent. Il ne dit mot des marques d'affection filiale manifestées par Claude à son père. Et pourtant c'est un point sur lequel s'accordent tous les témoignages et que signalait au passage la *Gazette des tribunaux* avant que le greffier du tribunal ne l'écrive à Hugo qui, il est vrai, n'en dit rien non plus. Il s'évertue surtout à réhabiliter le gardien-chef Delacelle sur la foi d'on ne sait quels témoignages et prétend, reprenant une assertion énoncée par lui-même au procès d'Albin, ainsi que le rapportait la *Gazette des tribunaux*, et adoptée ultérieurement comme un fait par de nombreux commentateurs du récit de Hugo, que Delacelle « surprit entre Gueux et Albin le secret d'une abominable débauche »... D'où l'éloignement d'Albin. N'était-ce pas là, demande-t-il ironiquement, « un système de provocation combiné avec un raffinement inouï de barbarie ? ». De Mongis ne produisant aucun document, il faudrait le croire sur parole, mais est-il neutre et impartial ? Hugo ayant évoqué dans son récit l'innocence qu'il y avait dans le regard d'Albin, de Mongis s'indigne : « Tant d'innocence ! il a assassiné traîtreusement un de ses compagnons d'infortune sans défense », faisant comme si ce crime était antérieur à celui de Claude Gueux et avait été ignoré ou occulté par Hugo. Il ajoute que « la victime de sa férocité avait été longtemps le complice de ses dégoûtantes débauches… » et présente comme une autre tentative de meurtre la tentative de suicide d'Albin, rapportée par la presse. Celle de Claude Gueux après le meurtre de Delacelle ayant aussi été omise par lui, tout se passe comme si ces gestes de désespérés gênaient l'apologiste de la peine de mort, celle-ci ne pouvant dès lors passer ni pour dissuasive ni pour punitive, puisque ces deux assassins essaient de se l'infliger après leur forfait. De Mongis se déchaîne en une sorte de réquisitoire où il déploie les ressources de la rhétorique pour confondre l'accusé Hugo : « Pour nous, ce que nous ne saurions pardonner, c'est d'avoir rendu odieux ce qui est respectable ; c'est d'avoir rendu respectable ce qui est odieux ; […] c'est d'avoir voulu prouver que tout homme qui ne sait pas lire est nécessairement un assassin. » Difficile de résumer plus caricaturalement le projet de Hugo, en occultant la responsabilité du chômage, de la misère et de la gestion des prisons dans le crime de Gueux. Et, pour finir, il rend le drame moderne, « plus que nos lois sociales », responsable de « quelques crimes commis » et de « quelques têtes tombées ». « Devez-vous, ajoute-t-il, nous demander des écoles de morale, vous qui en avez ouvert une où l'inceste et le meurtre vont trouver chaque soir des apologistes et des applaudissements ? » En conclusion, il répond à une suggestion de Hugo dans la sienne : « Une bible par cabane ! / Vous avez raison ; ce vœu était accompli par d'autres avant qu'il eût été formé par vous. Mais la bible est restée couverte de poussière dans un coin de la cabane, depuis que l'on apprend à lire dans *Lucrèce Borgia*. »

Farcy, pourfendeur dès 1828 du romantisme incarné alors pour lui par *Olga ou l'orpheline moscovite* d'Ancelot et auteur, après *Hernani*, d'une très polémique « Lettre à Victor Hugo », partageait la répulsion expri-

mée par de Mongis et la manifeste dès la première
phrase de son article : « Tout le monde connaît M. Victor Hugo dramatiste, tombé d'*Hernani* en *Lucrèce Borgia*, c'est-à-dire, de fièvre en chaud-mal. » Après avoir
tenté de ridiculiser les jugements ironiques portés par
Hugo sur les « grandes œuvres d'art » que semblent être
aux yeux de Farcy la rue de Rivoli, les tours de Saint-
Sulpice et le Panthéon, le critique s'attaque à la dernière
ambition de Hugo, qui serait de réhabiliter « un assassin, un criminel avéré, faisant gloire de ses crimes ».
Le dernier point, notons-le, est passé sous silence dans
Claude Gueux mais se trouve bien dans le numéro de la
Gazette des tribunaux dont Hugo s'est servi. Farcy serait
plus fondé à lui reprocher de l'avoir occulté. Nourris-
sant en majeure partie son article de citations de celui
de de Mongis, y compris sans le dire lorsqu'en guise
de résumé de *Claude Gueux* il reproduit celui de son
confrère, Farcy ajoute à celle de de Mongis une conclusion de son cru, qui confine à l'anathème : « Pour moi,
ce qui m'étonne le plus, c'est que M. Hugo [...] au lieu
de rechercher la vérité dans une affaire de vol et d'assassinat, [...] n'ait écrit qu'un tissu d'*erreurs* ; c'est qu'il n'ait
lu ce dégoûtant article à personne [...] ou qu'il l'ait lu à
de stupides admirateurs, [...] qui n'ont pas eu le cœur
de lui dire [...] qu'il risquait de se salir d'une fange indé-
lébile, d'une tache que rien n'effacera de sa vie [...] ! »
   Savey-Casard, suivant Paul Berret, dans son édition
critique des *Châtiments*, qui lui-même adoptait avec
quelque prudence l'assertion d'un ennemi acharné de
Hugo, Edmond Biré, a cru que les attaques de Hugo
contre de Mongis dans *Napoléon le Petit*[1] et dans des
poèmes des *Châtiments*[2] pouvaient résulter de sa ran-
cune contre l'article écrit par lui en 1834. Ce n'est pas
impossible, accessoirement, mais l'hostilité de Hugo

----

1. Livre II, chap. VI et livre IV, chap. II (Actes Sud, 2007,
p. 105 et 236).
2. Livre IV, chap. XIII, v. 47-50 ; livre VI, chap. V, v. 114-117 ;
livre VII, chap. XIII, v. 33-34 (« Poésie/Gallimard », p. 50, 199, 262).

visait bien plus sûrement le procureur dont le réquisitoire avait valu en 1851 six mois de prison à Auguste
Vacquerie, gérant de *L'Avènement du peuple*, pour avoir
publié une lettre de lui soutenant le journal qui prenait
le relais de *L'Événement*, interdit. Et n'avait-il pas pour
s'en prendre à de Mongis le souvenir encore plus acca-
blant pour l'avocat général du discours prononcé par lui
à l'occasion de la rentrée de la cour d'appel de Paris, le
3 novembre 1852 : « La France allait périr ; mais le Dieu
qui la protège [...] a placé la religion et la loi, la famille
et la propriété sous l'égide de Louis-Napoléon, [...] la
France n'offre pas seulement l'Empire comme un hommage, elle le demande aussi comme une garantie ; car
l'Empire peut seul continuer l'œuvre commencée ; car
après avoir été la gloire par la guerre, il sera la gloire
"par la paix[1]". » C'était onze mois après le coup d'État
contre lequel Hugo avait appelé à l'insurrection et un
mois avant l'instauration du Second Empire...

Claude Gueux d'après les archives

Les recherches menées par Paul Savey-Casard pour
son édition critique de *Claude Gueux*[2] dans les dossiers
criminels conservés par les Archives de Saône-et-Loire
et de Côte-d'or, et dans les dossiers administratifs des
Archives de l'Aube, lui ont permis de reconstituer le
parcours de Claude et peuvent servir non seulement à
repérer des écarts volontaires ou involontaires de Hugo,
mais aussi à corriger les versions qu'en ont données les
détracteurs de Hugo.

Né le 28 floréal an XII – 18 mai 1804 –, jour où fut
promulgué le sénatus-consulte qui instaurait le Premier Empire –, Claude Gueux dut sa première condamnation – à un an de prison, en 1818 – au vol d'un sac
d'avoine ; il prétendit que ce sac appartenait à son

---

1. De Mongis, *op. cit.*, p. 491.
2. *Claude Gueux*, PUF, 1956.

patron et qu'il s'en était emparé pour le restituer à son
légitime propriétaire ; il était âgé, remarquons-le, de
quatorze ans et fut incarcéré, comme c'était l'usage à
l'époque, dans le même quartier que les adultes. Savey-
Casard, confirmant l'assertion de Hugo, indique qu'il
ne savait ni lire ni écrire : « Il signait d'une croix, et
ce serait, d'après lui, l'origine de son surnom, fréquemment répété, Claude Lacroix[1]. » Le surnom peut venir
aussi, suggère Savey-Casard, de la grand-mère pater-
nelle de Claude qui portait le nom de Lacroix.

Après avoir été « mousse, novice et matelot » à Marseille, il est à Paris en 1821, où il exerce divers emplois.
A-t-il une liaison avec celle dont le nom sera relevé sur
un de ses tatouages : Louise David, et qui lui inspirera
une de ses fausses identités : Louis David ? On n'en a
pas de preuve. Hébergé chez le fermier d'un châtelain
en 1822, il vole les hardes et une petite somme qu'un
valet de ferme avait cachés dans un coffre. Emprisonné,
il tente de se suicider ; il est condamné en 1823 pour
vol commis avec circonstances aggravantes – de nuit
et dans une maison habitée – à cinq ans de prison
et écroué à Clairvaux le 5 octobre 1823. Delacelle en
devient le gardien-chef le 16 décembre 1826. Un mois
avant la date prévue pour son élargissement, le 13 juillet
1828, il est inculpé de violence envers gardiens et tentative de meurtre sur la personne de Delacelle : il s'était
emparé de son sabre, allait lui en porter un coup quand
son geste fut prévenu par les gardiens. Il plaide l'ivresse,
l'accusation de tentative de meurtre est abandonnée et
il n'écope, pour coups et blessures, le 4 décembre, que
de six mois supplémentaires de prison, qu'il accomplit
à Troyes.

Gueux sort de prison en juin 1829. Il est alors porte-
faix – c'est cette profession qui figurera sur le procès-
verbal de l'arrêt rendu le 16 mars 1832 –, décharge des

---

1. Paul Savey-Casard, introduction à son édition critique de
Claude Gueux, *op. cit.*, p. 10.

bateaux et se fracture la jambe. Il vole une jument. Il prétendra avoir sollicité auparavant du travail à Autun, n'en avoir pas trouvé et n'avoir pris la bête que parce qu'il ne pouvait plus marcher. À quoi s'ajoute le fait qu'il n'avait plus que dix-huit sous en poche. Seule est retenue la récidive qui lui vaut, le 30 novembre 1829, huit ans de réclusion et « exposition publique ». Il entre à Clairvaux le 2 mars 1830. Son père l'y rejoint le 5 décembre. Étienne Gueux, ancien vigneron, âgé alors de soixante-seize ans, doit y purger une peine de cinq ans de prison, prononcée par le tribunal de Beaune, pour « soustraction d'échalas », ces bâtons que l'on fiche en terre afin de soutenir les ceps de vigne.

Un rapport sur Gueux du directeur de la Maison centrale de Clairvaux, Salaville, le surlendemain du meurtre du gardien-chef, semble démentir par avance – mais peut-être en réponse à des mobiles avancés par le meurtrier – une interprétation de cet assassinat comme une vengeance contre des mauvais traitements, qui pourrait mettre en cause l'administration : Salaville aurait recommandé à Gueux « de se pourvoir » devant lui « lorsqu'il se supposerait victime de quelques petites injustices ou d'une vexation, quelle qu'elle fût », et aux gardiens « d'éviter toute espèce de collision[1] ». Il ajoute : « Depuis ces recommandations jusques à l'époque du 5 décembre, jour où son vieux père fut amené dans la maison centrale il se conduisit assez bien. / À dater de cette dite époque 5 décembre il parut s'améliorer sensiblement et il n'est pas de soins et d'affection qu'il ne prodiguât à son père, il y avait chez tous les employés comme une espèce d'étonnement de la [conduite (mot difficile à déchiffrer)] de cet homme autrefois si âpre et si difficile à soumettre aux règles de la maison. »

---

1. « Notice manuscrite sur le N[omm]é Gueux Claude, par le directeur de Clairvaux », Fonds de la Maison centrale, Archives départementales de l'Aube, 22 Y 1 ; consultable sur le site du ministère de la Culture : http://www.victorhugo2002.culture.fr/culture/celebrations/hugo/fr/ow_archiv_mor4zoom.htm

Lors de la mort de son père, ajoute Salaville, « il me demanda de disposer de quelqu'argent qu'il avait à lui pour que son père pût avoir un cercueil et être enseveli d'une manière plus honorable que le commun des détenus. Je l'engageai à garder ses économies et je lui donnai dix francs pour suffire à la dépense ». Hugo ne dit mot de ces preuves d'affection filiale. Et pourtant c'est un point sur lequel s'accordent tous les témoignages et que signale au passage la *Gazette des tribunaux* avant que le greffier du tribunal ne l'écrive à Hugo.

Le jury répond oui à la question de l'homicide volontaire et à celle de la préméditation, mais sans guetapens, « à la majorité de plus de sept voix », ce qui peut signifier qu'il n'y a pas eu unanimité et expliquerait mieux la dernière phrase de la demande en grâce, reproduite par Adèle Hugo dans *Victor Hugo raconté par un témoin de sa vie* : « La clémence de Sa Majesté, si généralement connue, est implorée par le condamné et par les jurés mêmes[1]. » Avant son exécution, il lègue une somme de dix francs à une certaine Eulalie Lelong, prostituée condamnée quelques jours avant lui et, précise le *Journal de l'Aube* du 17 mars 1832, « chargée de calmer le détenu pendant ses derniers mois »... Le jour de l'exécution, il lègue bien une pièce de cinq francs mais, semble-t-il, à ses camarades et non aux « pauvres », comme l'écrit Hugo.

Quant à Albin Legrand, condamné à sept ans de réclusion pour vol domestique, il est incarcéré à Clervaux depuis le 5 mars 1829. Le chroniqueur de la *Gazette des tribunaux* est sensible, dans l'audience du 16 mars 1832, au mélange dans les témoignages des compagnons de détention de Claude – dont Albin – « des sentiments ignobles que le vice engendre, que les prisons nourrissent et en même temps de ces élans de générosité et de noblesse qui consolent » ; et il ajoute

---

1. Chap. LIII, dans *Œuvres complètes*, édition chronologique de Jean Massin, Le Club français du livre, t. V, 1967, p. 1378.

aussitôt qu'Albin « est celui qui, à l'insu des gardiens, partageait avec l'accusé ses aliments » et que « c'est à lui qu'il fut interdit de l'approcher ». Trois semaines après l'exécution de Claude, le 25 juin 1832, il tuera un autre détenu, Delaroche, par jalousie, selon l'accusation qui aurait « recueilli les dernières paroles du mourant[1] », et il se jettera du troisième étage sur le pavé sans se tuer. Le chroniqueur de la *Gazette*, rendant compte, le 24 décembre 1832, de son procès, rappelle ses sentiments à l'égard de Claude : il était « son ami, son confident, l'un de ses plus dévoués admirateurs. [...] sa déposition avait vivement intéressé l'auditoire, car en l'écoutant on cherchait à se persuader que des sentiments généreux et de nobles affections pouvaient trouver asile dans le cœur de ces hommes flétris par le mépris de la société ». C'est ce point de vue qu'adoptera Hugo, à l'opposé de ce que le chroniqueur de la *Gazette des tribunaux* appelle « le système de l'accusation »... La condamnation et l'exécution de Claude ont-elles changé Albin ? Nul ne semble s'être posé cette question. Le jury ayant écarté la préméditation, il sera condamné aux travaux forcés à perpétuité et à une heure d'exposition.

Trois adaptations de Claude Gueux

Claude Gueux ne semble pas avoir été adapté à la scène avant le 29 février 1884, date à laquelle le Théâtre Beaumarchais en propose ce que le chroniqueur du *Figaro*, Arnold Mortier, appelle un « développement en cinq actes » par un auteur nommé Gadot-Rollo (ou Rollot, comme l'indique l'affiche du spectacle[2]). Mortier indique qu'il est de Marseille et que « pour avoir l'hon-

---

1. *Journal des débats*, 26 décembre 1832, reproduisant un article de la *Gazette des tribunaux* daté du 24 juin.
2. Reproduite dans *La Gloire de Victor Hugo* (catalogue de l'exposition du Grand Palais, 1er octobre 1985-6 janvier 1986, Éd. de la Réunion des musées nationaux, 1985) en guise d'illustration de la contribution de Josette Acher qui évoque cette création.

neur de débuter à Paris, il a eu recours aux conseils
d'un poète, M. Elzéar, un compatriote devenu Parisien[1] ». S'il s'agit bien de Pierre Elzéar, ce conseiller
n'est autre que le co-adaptateur, avec Richard Lesclide,
secrétaire de Hugo, de *Bug-Jargal*, adaptation créée en
novembre 1880 au Théâtre de la République.

Francisque Sarcey, dans *Le Temps*, conteste qu'il
s'agisse d'une pièce : « C'est une histoire de la vie réelle
ou imaginaire – peu importe, découpée en tranches que
l'on présente l'une après l'autre au public jusqu'à la dernière. » Il n'en aurait pas parlé « si parmi ces tableaux
qui se déroulent l'un après l'autre sous nos yeux, il ne
s'en était trouvé deux où se marque un goût curieux de
réalisme et même un sens assez vif des nécessités dra-
matiques ». C'est d'abord le deuxième acte, qui se passe
à l'usine et, comme le note Mortier, « dans un atelier
où l'on forge du vrai fer, où l'on scie de vraies roues » ;
l'auteur, qui semble à Sarcey « avoir longtemps vécu
avec les ouvriers, s'il n'a été ouvrier lui-même, a essayé
de nous traduire sur la scène les joies, les misères et
les grandeurs du prolétariat parisien ». Tout ce tableau
a paru à Sarcey « d'une observation très juste, bien
qu'un peu crue ». La façon dont s'aigrissent les rapports
des ouvriers avec le contremaître en chef, « la décision
brève et irrévocable que jette d'un air ennuyé et distrait
le directeur en chef, la colère des ouvriers qui se mon-
tent les uns les autres [...], l'explosion finale qui aboutit
à un renvoi sommaire et péremptoire, tout cela forme
un tableau d'une vérité saisissante » ; il ne lui manque
que d'être soutenu « d'une mise en scène plus ample
et plus soignée ». Sarcey en retrancherait volontiers
« quelques théories d'un socialisme irritant ; mais il est
possible que, dans l'idée de l'auteur, l'expression de ces
théories, se retrouvant sur les lèvres d'un ouvrier, soit
un dernier trait qui achève la sincérité du tableau ». Aux

1. Arnold Mortier, *Les Soirées parisiennes par un Monsieur de
l'orchestre*, E. Dentu, 1884, p. 147.

yeux du chroniqueur du *Figaro*, le développement que propose Gadot-Rollo est « ultra-socialiste. On y voit les malheurs du "pauv' peup'" représentés sous les couleurs les plus noires. Rochefort, Vallès, Carjat et autres frères et amis sont venus tout exprès pour applaudir. / Ces éminents citoyens s'acquittent bien de cette mission de confiance ». Le troisième acte est situé, précise Sarcey, « dans la mansarde où s'est réfugié Claude Gueux sans travail, après son expulsion de l'atelier ; il n'a pu trouver d'engagement : tous les directeurs d'usine refusent d'embaucher une mauvaise tête. Sa femme gagne douze sous par jour à coudre des chemises pour un grand fabricant, l'enfant grelotte de fièvre dans son berceau, point de médicaments pour lui, point de pain pour le père et pour la mère ». La femme d'un de ses camarades d'atelier congédié en même temps que lui ayant obtenu une commande de confection quelconque, « il est tombé un peu d'argent dans le ménage », qui a « résolu de faire une petite noce chez les Claude Gueux ». La scène, lieu commun du mélodrame selon le critique, « a mis tout le public en joie », alors que, pour émouvoir le public, « l'auteur comptait sans doute bien davantage sur les lamentations de Claude Gueux, sur ses malédictions contre l'ordre social, sur les remords qu'il exprime de son vol (car il est allé voler une montre), et sur son arrestation[1] ». Au quatrième acte, écrit Sarcey dans son compte rendu de la reprise de 1895 au Théâtre de la République, « nous le retrouvons en prison. [...] Claude Gueux, aigri par ses souffrances, croit reconnaître dans le gardien-chef [nommé Delasselle, comme celui de Clairvaux, à deux lettres près], qui est dur et brutal, les traits du contremaître qui l'avait fait chasser de l'usine. C'est une hallucination, elle s'empare si

1. Dans le compte rendu de la représentation de 1895, Sarcey reproduit une grande partie de son article de 1884, mais avec quelques variantes : ici, il substitue aux deux derniers atouts sur lesquels il suppose que l'auteur a compté les « revendications [de Claude] au nom du prolétariat ».

bien de son esprit, qu'il finit par voir rouge et que, pour se venger du persécuteur qui le suit partout et s'attache à lui, il se saisit d'un couteau et le lui plonge dans la poitrine ». Le cinquième acte, intitulé « Le dernier jour d'un condamné », emprunte beaucoup au roman précédent de Hugo. Drame « bien médiocre », conclut Sarcey en 1884, mais point ennuyeux, avec « par-ci par-là des scènes bien faites » et « un certain goût de vérité qui perce à travers les enflures ou les faiblesses du style ». Claude est joué « d'une façon supérieure » par Taillade, « à qui ces rôles d'ouvrier emporté et violent, mais prompt aux repentirs et aux tendresses, conviennent parfaitement ». Lorsque le drame sera repris au Théâtre de la République, à partir du 25 avril 1895, Sarcey saluera en Taillade « le dernier représentant de l'école romantique dans le drame. [...] Il possède l'art singulier de mêler à des élans presque lyriques des intonations d'une familiarité imprévue et saisissante ».

Le 31 mars 2009, France 2 propose, dans la série *Au siècle de Maupassant*, une adaptation de *Claude Gueux* par Pierre Leccia, réalisée par Olivier Schatzky, avec Samuel Le Bihan (Claude Gueux), Thomas Chabrol (M. Delacelle), Robinson Stévenin (Antoine), Sandrine Le Berre (Louise). L'adaptation est relativement fidèle à la trame du récit de Hugo, avec quelques inflexions et plusieurs modifications importantes : la compagne et la fille de Claude sont dotées de prénoms et montrées avant et après son arrestation ; Claude n'acquiert pas « un ascendant singulier » sur ses compagnons de détention ; Albin, baptisé Antoine, a volé pour un homme qu'il aimait et se trouve en butte aux moqueries et privautés d'autres détenus qui lui extorquent du pain tandis que Claude le défend contre eux et l'engage à travailler auprès de lui à l'atelier, avant de se voir proposer le pain que, chez Hugo, Albin, inconnu jusque-là de Claude, lui offrait par une sorte de générosité spontanée ; Claude ne consulte pas les autres détenus sur la condamnation à mort du directeur ; un coup de couteau dans le dos est substitué aux trois coups de hache qui ouvrent le crâne, au quatrième qui balafre le visage et au cinquième porté à la cuisse ; Claude ne tente pas de se suicider et n'a donc pas à être soigné avant de comparaître devant le tribunal ; n'ont pas été conservés non plus l'audience du 16 mars, les témoignages, le réquisitoire, la plaidoirie, les interventions de Claude, le résumé du président, ni le pourvoi, le comportement de Claude le jour de l'exécution, sa donation aux pauvres, ni enfin la conclusion du narrateur avec l'interpellation des députés, soit plus de deux cinquièmes du livre.

Le 27 mars 2013 est créée à l'Opéra de Lyon une nouvelle adaptation sous forme d'un opéra de Thierry Escaich, livret de Robert Badinter, intitulé *Claude*. Dans un prologue, deux personnages se remémorent l'histoire de Claude, un canut, ouvrier lyonnais spécialisé dans le tissage de la soie dont, en raison de l'arrivée des machines, la paye a diminué au point qu'il ne peut plus nourrir les siens, et qui a pris son fusil, comme ses camarades, et participé aux barricades, d'où il est résulté « sept ans de travaux forcés » et l'incarcération à Clairvaux. L'opéra étant une commande de l'Opéra de Lyon, Robert Badinter a choisi de le situer dans cette ville en profitant de la proximité chronologique entre la date du meurtre du directeur de Clairvaux dans le récit de Hugo, le 4 novembre 1831, et celle de la révolte des canuts. Le 10 novembre 1831, une centaine de fabricants ayant rejeté comme exorbitant le tarif minimal obtenu par les ouvriers le 26 octobre, ceux-ci se soulevèrent le 21 novembre et se rendirent maîtres de Lyon le 23. À quoi peut s'être ajouté, pour convaincre Robert Badinter d'opérer cette transposition, le souvenir de la nouvelle émeute qui se produisit à Lyon le 9 avril 1834 et qui fut écrasée, Thiers étant ministre de l'Intérieur, au cours d'une « sanglante semaine », préfiguration de celle de 1871 qui vit l'écrasement de la Commune. Or Thiers était interpellé, rappelons-le, dans la conclusion de Hugo telle qu'elle se présentait lors de la première publication par la *Revue de Paris*.

Si l'on fait abstraction de la mise en scène d'Olivier Py, qui transforme le « jeu cruel » dont Albin est l'objet, imaginé par le librettiste, en viol collectif, l'amitié entre Claude et lui en liaison passionnée et, dans la scène finale, une petite fille dont ils ont entendu la chanson en danseuse en tutu, l'adaptation reste assez fidèle à Hugo, avec cependant quelques différences majeures : le protagoniste des deux œuvres n'a pas supporté de ne plus pouvoir nourrir sa compagne et leur enfant, dotées de prénoms dans le livret – Jeanne et Emma –, mais le Claude de Badinter est en prison pour avoir combattu sur des barricades, alors que celui de Hugo et son modèle réel ont été condamnés pour un simple vol. Le partage par Albin de sa ration de pain a tout l'air chez Hugo d'un geste de pure générosité alors que, dans le livret, Claude vient d'abord en aide à Albin qui lui en est reconnaissant et celui-ci lui offre du pain pour gagner son amitié et être moins seul, motivations qui peuvent être aussi les siennes chez Hugo mais qui ne sont pas formulées. Albin condamné pour un vol non spécifié par Hugo a, d'après le livret, volé sa montre « à un richard ». Il y évoque ses parents, son instruction par des prêtres, propose à Claude d'écrire pour lui des lettres. Le livret dédouble aussi le directeur des ateliers, avatar chez Hugo du gardien-chef réel de Clairvaux, en un entrepreneur, commanditaire du travail des détenus, et un directeur qui est intéressé aux bénéfices. Robert Badinter a intégré dans le livret des éléments du *Dernier Jour d'un condamné*, antérieur dans l'œuvre de Hugo, et y a intercalé des fragments de poèmes des *Quatre Vents de l'esprit*, bien postérieurs par la date de publication – 1881 – mais aussi par la date de rédaction, comme une sorte de commentaire qui se substitue ainsi à la conclusion de Hugo, partiellement citée (et rédigée elle, on l'a su par l'étude des manuscrits, avant le récit) ; et même, sans doute à la demande du compositeur, une pastourelle – déjà utilisée par lui en 2011 – mise en musique dans le style d'une chanson de

la Renaissance où, comme le prévoit le genre, une ber-
gère dialogue avec un chevalier qui veut la séduire, et
une chanson de bagnards de Guyane, « dénichée » par
Thierry Escaich[1].

1. Claire Delamarche nous l'apprend dans la brochure publiée
en guise de programme lors de la création : Thierry Escaich,
Claude, livret de Robert Badinter, Opéra de Lyon, 2013, p. 80.

BIBLIOGRAPHIE

Le manuscrit et la copie de *Claude Gueux* se trouvent à la Bibliothèque nationale de France sous la cote : N.a.f. 13377 et sont consultables en microfilm ou en ligne sur le site Gallica (http://gallica.bnf.fr/ark:/12148/btv1b6000939n.r=.langFR).

La source principale d'informations de Hugo, la *Gazette des tribunaux*, numéros des 19 mars (« Cour d'assises de l'Aube (Correspondance particulière) / Audience du 16 mars. Présidence de M. de Glos »), 11 avril (chronique datée de Troyes, le 9), 6 mai et 15 juin 1832, est elle aussi consultable en ligne.

ÉDITIONS DU TEXTE

Préoriginale :

Dans la *Revue de Paris*, t. VII, livraison du 6 juillet 1834, p. 1-29.

Originale :

Extrait de la *Revue de Paris*, Évreat [*sic* pour Éverat], imprimeur, rue du Cadran, n° 16, 1834, p. 23, tiré à 500 exemplaires le 25 août, annoncé le 6 septembre ; réimprimé à 100 exemplaires chez Eugène Renduel en mai 1835.

Avec d'autres romans
ou dans les Œuvres complètes :

Charpentier, 1845 ; Hetzel Marescq, 1853 ; impr. J. Claye, 1857 ; Hetzel, 1867 ; « définitive », Hetzel et Quantin, 1881 ; E. Hugues, 1883 ; « nationale », Emile Testard, 1890 ; Imprimerie nationale, Ollendorff, 1910.

Édition critique :

Claude Gueux, édition critique présentée par Paul Savey-Casard, PUF, 1956.

Dans les éditions modernes des Œuvres complètes :

Œuvres complètes de Victor Hugo, édition chronologique sous la direction de Jean Massin, t. V, présentation de Georges Piroué, Le Club français du livre, 1967.
Œuvres complètes de Victor Hugo, *Roman*, t. I, notice et notes de Jacques Seebacher, Robert Laffont, coll. « Bouquins », 1985.

En éditions diverses :

Claude Gueux, postface de Jérôme Vérain, Mille et une nuits, 1993.
L'Œuvre romanesque de Victor Hugo, t. II, préface de Georges Belle, France Loisirs, 1996.
Claude Gueux, édition de Michel Dobransky, Magnard, coll. « Classiques & contemporains », 2000.

En collections de poche :

Le Dernier Jour d'un condamné, Claude Gueux, L'Affaire Tapner, préface de Robert Badinter, commentaires et notes de Guy Rosa, Le Livre de Poche, coll. « Classique », 1989.
Claude Gueux, présentation et notes d'Emmanuel Buron, Le Livre de Poche, coll. « les Classiques d'aujourd'hui », 1995.

Claude Gueux, présentation, note, chronologie et dossier par Flore Delain, Flammarion, coll. « GF Étonnants classiques », 2002 ; édition revue, 2014.

Le Dernier Jour d'un condamné, *Claude Gueux*, présenté, annoté et commenté par Pierre Grouix, Larousse, coll. « Petits classiques Larousse », 2002.

Claude Gueux suivi de *La Chute*, extrait des *Misérables*, dossier réalisé par Olivier Decroix, lecture d'image par Valérie Lagier, Gallimard, coll. « Folioplus classiques », 2004.

Claude Gueux, édition de Bénédicte Bonnet, Hatier, coll. « Classiques Hatier. Œuvres & thèmes », 2005.

Claude Gueux, *La Chute*, extrait des *Misérables*, préface de Bruno Doucey, Pocket, coll. « Pocket classiques », 2005.

Claude Gueux, notes, questionnaires, synthèses et bibliographies par Bertrand Louët, Hachette, coll. « Bibliolycée », 2006.

Claude Gueux, notes, questionnaires et dossier par Isabelle de Lisle, Hachette éducation, coll. « Bibliocollège », 2007.

Claude Gueux, notes, présentation et dossier par Hélène Fieschi, Belin, coll. « Classico collèges, texte intégral et dossier », 2008.

Claude Gueux, notes et dossier par Isabelle Cristofari, Hatier, coll. « Classiques et cie, Collège », 2009.

Claude Gueux, présentation, notes, dossier, chronologie, bibliographie par Etienne Kern, Flammarion, coll. « GF », 2010.

Claude Gueux, nouvelle édition présentée, annotée et commentée par David Braun, Larousse, coll. « Petits Classiques Larousse », 2012.

Claude Gueux, édition d'Annie Le Fustec, coll. « Carrés classiques. Collège : récit XIXe », 2013 [contient aussi : *Le Gueux* de Guy de Maupassant].

En CD :

Lu par Jean-Claude Dauphin, avec le discours de Victor Hugo du 15 septembre 1848 à l'Assemblée constituante, lu par Robert Badinter, Audiolib, coll. « Des livres à écouter », 2009.

Périodiques ayant rendu compte
de Claude Gueux *en 1834 :*

La France littéraire, t. XIV, p. 121-122 (F. Lecler) et t.15, p. 98 (Alphonse Esquiros).
Le Constitutionnel (24 août)
Une « feuille littéraire et scientifique » (de Mongis, reproduisant son article dans *Proverbes en vers / Fables / Poésies diverses / Réquisitoires, discours, etc.*, 2ᵉ édition « très soigneusement revue et corrigée », Paris, Librairie Ch. Delagrave, 1876, p. 621-627, ne précise pas davantage la référence et Savey-Casard, dans son édition critique de *Claude Gueux* (PUF, 1956, p. 80), signale qu'il n'a pu retrouver le périodique de 1834 qui publia l'article.
Charles-François Farcy, *Journal des artistes*, 14 septembre.

Adaptation :

ESCAICH, Thierry, *Claude*, livret de Robert Badinter d'après *Claude Gueux* de Victor Hugo, opéra en un prologue, seize scènes, deux interscènes et un épilogue, conception éditoriale et commentaires Claire Delamarche, Opéra de Lyon, 2013. En DVD, captation de la représentation du 27 mars 2013, direction d'orchestre Jérémie Rhorer, mise en scène Olivier Py, avec Henk Neven, Fabrice Di Falco, Jean-Philippe Lafont, Arte France, 2013.

Ouvrages et articles traitant
en partie de Claude Gueux *:*

BROMBERT, Victor, *La Prison romantique. Essai sur l'imaginaire*, José Corti, 1975.
GOHIN, Yves, « Les réalités du crime et de la justice pour Hugo avant 1829 », étude liminaire au t. 3 des *Œuvres complètes* de Hugo, édition chronologique sous la direction de Jean Massin, Le Club français du livre, 1967.

GROUIX, Pierre, « *Le Dernier Jour d'un condamné* », « *Claude Gueux* », *Hugo*, dossier pédagogique, Larousse, coll. « Petits classiques Larousse », 2002.

HOVASSE, Jean-Marc, « Les deux Gueux », *Victor Hugo*, t. I (*Avant l'exil. 1802-1851*), livre 8, chap. IV, Fayard, 2001.

—, « *Claude Gueux*, édition présentée, établie et annotée par Arnaud Laster, Gallimard, Folio Classique », compte rendu paru dans *L'Écho Hugo*, bulletin annuel de la Société des Amis de Victor Hugo, n° 14, 2015.

JEAN, Raymond, présentation des *Écrits sur la peine de mort* de Victor Hugo, Actes Sud, 1979, rééd. 1985.

LAURENT, Franck, « Travailler en prison : condition carcérale ou condition ouvrière ? Lecture de *Claude Gueux* (1834) », *Choses vues à travers Hugo* [Mélanges en hommage à Guy Rosa], études réunies par Claude Millet, Florence Naugrette et Agnès Spiquel, Valenciennes, Presses universitaires de Valenciennes, 2007.

LEY-DEUTSCH, Maria, *Le Gueux chez Victor Hugo*, Droz, 1936.

MIGOZZI, Jacques, « L'engagement d'une écriture. Stratégies énonciatives du *Dernier Jour d'un condamné* à *Claude Gueux* », *G comme Hugo*, textes réunis par Antoine Court et Roger Bellet, Université de Saint-Étienne, 1987.

PICON, Jérôme et VIOLANTE, Isabel, *Victor Hugo contre la peine de mort*, choix de textes, avant-propos de Robert Badinter, Textuel, 2001.

ROMAN, Myriam, *Victor Hugo et le roman philosophique*, Honoré Champion, coll. « Romantisme et Modernité », 1999.

SAVEY-CASARD, Paul, *Le Crime et la Peine dans l'œuvre de Victor Hugo*, PUF, 1956.

Victor Hugo raconté par un témoin de sa vie, A. Lacroix, Verboeckhoven, 1863, chap. LIII, « La suite du *Dernier Jour d'un condamné* » ; reproduit partiellement (les premières pages) dans le Dossier du t. V des *Œuvres complètes*, édition chronologique de Jean Massin, Le Club français du livre, 1967, p. 1377-1382, et dans *Victor Hugo raconté par Adèle Hugo*, 5ᵉ partie, chap. II, Plon, coll. « Les Mémorables », 1985, p. 445-450.

NOTES

Page 41.

1. En tête du manuscrit figure la dédicace « À ma Juliette bien-aimée à qui j'ai lu ces quelques pages immédiatement après les avoir écrites, le 24 juin 1834, sur la colline Montmartre, entre trois et quatre heures après midi. Il y avait deux jeunes arbres qui nous donnaient leur ombre, et au-dessus de nos têtes un beau soleil, – moins beau qu'elle. / V.H. ». Sur un exemplaire du tirage destiné aux députés la dédicace sera la suivante : « À mon ange, dont les ailes repoussent, 2 septembre 1834. »

Page 43.

1. Une phrase précédait dans le manuscrit : « Voici des faits qui m'[variante supralinéaire : *nous*] ont été racontés par un témoin digne de foi. » Elle a été supprimée.

2. *Une fille* : « se dit, particulièrement, par opposition à femme mariée » (*Dictionnaire de l'Académie française*, 1835).

3. *Galetas* : « Logement pratiqué sous les combles, et ordinairement lambrissé de plâtre. [...] Il se dit aussi de tout logement pauvre et mal en ordre » (*Dictionnaire de l'Académie française*, 1835).

4. À partir de 1808, des *maisons centrales* (par rap-

port à une circonscription militaire) ont été ouvertes sur tout le territoire national. Installées dans les anciens biens nationaux, abbayes, séminaires ou citadelles, ces maisons centrales accueillent les condamnés à l'emprisonnement correctionnel (de plus d'un an, comme le précise une ordonnance de 1817), les condamnés à la réclusion criminelle et les femmes condamnées aux travaux forcés. Ces prisons sont organisées autour d'immenses ateliers où des milliers de détenus sont surveillés par une petite centaine de gardiens avec l'aide de la troupe chargée de la garde extérieure. – Le centre pénitentiaire de *Clairvaux* est établi depuis 1804 dans les locaux de l'abbaye de Clairvaux, à 15 km de Bar-sur-Aube et 60 km de Troyes. Le paragraphe figure en marge du manuscrit pour remplacer le premier jet : « Il y a un dépôt de prisonniers à Clermont, et il y en a un autre à Troyes. Je ne sais plus dans lequel des deux l'homme fut envoyé faire son temps. Je crois que ce fut à Troyes. » Hugo ne semble pas, à l'origine, s'être soucié de préciser la localisation.

5. *Bastille* signifie prison, par allusion au château fort commencé à Paris sous Charles V et qui servit de prison d'État jusqu'à 1789. Le *Trésor de la langue française* donne un emploi du mot sous forme de nom commun en 1826 dans un texte de Chateaubriand. – On appelle *cabanon*, « dans quelques prisons, et particulièrement à Bicêtre, certains cachots très obscurs » (*Dictionnaire de l'Académie française*, 1835).

6. On appelait *pilori* une « machine qui tournait sur un pivot, et qui servait à la punition des personnes diffamées [à déshonorer] que la justice exposait à la risée du public » (*Dictionnaire de l'Académie française*, 1835). Hugo a décrit en détail, dans *Notre-Dame de Paris* (livre VI, chap. IV), le pilori de la place de Grève à Paris.

Page 44.

1. *Honnête ouvrier* : Hugo avait d'abord écrit « bon ouvrier » ; « honnête » insiste sur sa moralité plus que

sur ses capacités. – *Digne et grave* : le correspondant de la *Gazette des tribunaux* du 19 mars 1832 évoquait une « figure [...] douce et régulière », puis décrivait Claude, une fois reconduit à la maison de justice, reprenant « tout son calme, j'ai presque dit sa dignité ».

2. *Une belle tête* : Hugo a ajouté sur le manuscrit « une tête intelligente, une tête douée » puis a rayé l'addition.

3. Le *directeur des ateliers* était « chargé de diriger l'exploitation et de commander la main-d'œuvre » (Paul Savey-Casard, *Claude Gueux*, édition critique, PUF, 1956, p. 90).

4. Un *guichetier* est un « valet de geôlier, qui ouvre et ferme les guichets, et qui a soin d'empêcher que les prisonniers ne s'évadent » (*Dictionnaire de l'Académie française*, 1835).

5. *Dans l'espèce* : « dans l'espèce » dans la *Revue de Paris* et la première édition (1834) ; « de l'espèce » dans l'édition de 1881. Nous suivons la leçon de 1834, conforme au manuscrit, qui souligne, ainsi que le note Jacques Seebacher, « par référence aux classifications des sciences naturelles, l'inhumanité mécanique de l'homme et de la fonction » (Victor Hugo, *Œuvres complètes*, *Roman*, t. I, Robert Laffont, coll. « Bouquins », 1985, p. 951).

6. *À courte bride sur son autorité* : comme un cavalier qui ne laisse aucune liberté à sa monture, donc d'une autorité qui ne se relâchait jamais.

Page 45.

1. À quelle *catastrophe privée* Hugo peut-il penser si ce n'est à l'éloignement de sa femme et à la liaison de celle-ci avec Sainte-Beuve ? Mais irait-il, même allusivement, jusqu'à diagnostiquer chez son ancien ami médiocrité et autosatisfaction ?

Page 46.

1. *Briquet* : « petite pièce d'acier dont on se sert pour tirer du feu d'un caillou » (*Dictionnaire de l'Académie française*, 1835).

2. *Cet empire* : la *Gazette des tribunaux* du 19 mars

1832 évoque même un « empire extraordinaire », une « espèce de fascination » que Claude Gueux « exerce sur ses compagnons de misère ».

Page 47.

1. *L'œil* [...] *est une fenêtre* : en réponse à Doña Lucrezia qui lui a demandé s'il ne trouve pas « bien beau » un jeune homme couché sur un banc, Gubetta, son confident et « collaborateur », lui répond : « Il serait plus beau, s'il n'avait pas les yeux fermés. Un visage sans yeux, c'est un palais sans fenêtres. » (*Lucrèce Borgia*, acte I, 1re partie, scène II, « Folio théâtre », p. 62.) Hugo évoquera dans *Les Misérables* « la prunelle, ce soupirail de la pensée » (5e partie, livre 9e, chap. IV).

2. *M. de Cotadilla* : lors du voyage de Mme Hugo mère en Espagne, Alexandre Dumas rapporte dans ses Mémoires que « l'escorte était commandée en premier par le duc de Cotadilla, homme de grand nom, de grande fortune et de grand appétit, rallié à Joseph [Bonaparte] ». Le duc est mentionné à plusieurs reprises dans *Victor Hugo raconté par un témoin de sa vie* (A. Lacroix, Verboeckhoven, 1863).

Page 48.

1. *Une livre et demie de pain* : 750 g par jour, telle était bien la ration de pain servie dans les maisons centrales, d'après Moreau-Christophe, inspecteur des prisons (*De l'état actuel des prisons*, A. Desrez, 1837, p. 241), cité par Paul Savey-Casard (*op. cit.*, p. 94). L'once étant un « ancien poids qui forme la seizième partie de la livre de Paris », à peu près équivalente à un demi-kilogramme (voir *Dictionnaire de l'Académie française*, 1835), *quatre onces de viande* correspondent environ à 125 g. Le cahier des charges reproduit par Moreau-Christophe dans *Le Code des prisons* (Dupont, 1845, p. 215) n'imposait de viande – et en hachis – que le jeudi.

2. Cette *larme* qui roule dans l'œil de Claude, ému par la générosité du jeune homme, rappelle celle que verse

Quasimodo, assoiffé, au pilori, après qu'Esmeralda lui a offert de l'eau, dans le chapitre intitulé « Une larme pour une goutte d'eau » : « Alors dans cet œil jusque-là si sec et si brûlé, on vit rouler une grosse larme qui tomba lentement le long de ce visage [...] longtemps contracté par le désespoir. C'était la première peut-être que l'infortuné eût jamais versée. » (*Notre-Dame de Paris*, livre 6e, chap. IV.)

Page 49.

1. *D'innocence* : Hugo avait d'abord écrit « de candeur ». Il a préféré accentuer le paradoxe et peut-être éviter de donner l'impression d'un jeu étymologique en dotant de candeur (du latin « *candor* » qui signifie « blancheur ») un personnage dont le prénom dérive du latin « *albus* », « blanc ».

2. *Presque un vieillard* : la *Gazette des tribunaux* ne dit rien des âges respectifs de Claude Gueux et d'Albin. Est-ce un hasard si Hugo donne à ce Claude exactement le même âge qu'à son Claude Frollo de *Notre-Dame de Paris*, qui a « trente-six ans » en 1482 (livre 4e, chap. V) ? Et une « amitié de père à fils plutôt que de frère à frère » avec cet Albin de « vingt ans » auquel on eût donné « dix-sept », un Albin proche, par l'âge, à la fois du jeune frère de Frollo, Jehan, frêle et blond (livre 4e, chap. II), qui a seize ans en 1482 (livre 4e, chap. V), et de Quasimodo que Frollo, « pour l'amour de son frère » (livre 4e, chap. II), a « adopté, [...], nourri, [...] élevé » (livre 4e, chap. IV) et qui, en 1482, a « environ vingt ans » (livre 4e, chap. V) ?

3. En architecture, la *clef de voûte* est la pierre du milieu qui ferme la voûte (*Dictionnaire de l'Académie française*, 1835). Cette désignation du plafond de la cellule rappelle que Clairvaux avait été une abbaye avant de devenir prison.

4. Ces *deux amis* semblent avoir suivi les conseils de La Fontaine aux « heureux amants » : « Soyez-vous l'un à l'autre un monde toujours beau, / Toujours divers, toujours nouveau ; / Tenez-vous lieu de tout » (*Fables*,

livre IX, « Les Deux Pigeons », v. 67-69). Cette référence implicite pourrait suggérer que les deux hommes
étaient non seulement amis mais amants. Hugo a-t-il
eu connaissance de la thèse de l'accusation au procès
d'Albin, meurtrier d'un autre détenu quelques mois
plus tard, selon laquelle « un attachement monstrueux »
aurait préalablement « soumis Albin Legrand au joug
de Claude Gueux » (*Journal des débats*, 26 décembre
1832) ? Les comptes rendus de l'affaire Claude Gueux
n'avaient rien laissé entendre de tel.

Page 51.

1. *M. D.* : le nom de M. D. – Delacelle – figurait dans
la *Gazette des tribunaux*.

2. « Gueux est revêtu de la *triste livrée de Clairvaux* »,
indiquait la *Gazette des tribunaux* du 19 mars 1832.

Page 54.

1. *Monsieur D.* : « *M. D.* » dans la première édition
(1834) et l'édition de 1881. Nous rétablissons « monsieur » en toutes lettres comme dans le texte de la *Revue
de Paris*. – On trouvera « monsieur » dans un propos
rapporté et « M. » dans la narration.

2. « Quinze jours avant l'assassinat, il avait confié
ses horribles projets », écrit la *Gazette des tribunaux* du
19 mars 1832.

Page 55.

1. *Émile ou De l'éducation*, traité de Jean-Jacques
Rousseau, composé de cinq livres et publié en 1762.
La présence de ce volume dépareillé qui lui vient de la
mère de son enfant pourrait bien avoir valeur ironique,
Claude n'ayant reçu aucune éducation et ne sachant pas
lire.

2. *Meubles* : se dit « quelquefois, par extension, de
certains ustensiles qu'on peut porter sur soi » (*Dictionnaire de l'Académie française*, 1835).

3. Les noms des condamnés, entendus comme témoins

– Faillet (que Hugo appelle Faillette), Pernot et *Ferrari* – figuraient dans la *Gazette des tribunaux* du 19 mars 1832.

Page 56.

1. Nous corrigeons la ponctuation de la *Revue de Paris*, qui donnait : « *dit-il ?* ».

2. La *Gazette des tribunaux* du 19 mars 1832, en donnant la date du 4 novembre, indiquait que Claude s'était « emparé d'une petite hache dans l'atelier des menuisiers » et qu'il « l'avait tenue cachée dans son pantalon ».

Page 58.

1. *Qui l'entouraient* : « *qui l'écoutaient* » dans les copies, la *Revue de Paris*, la première édition et l'édition de 1881. Erreur vraisemblable de la copiste, qui entraîne une répétition superflue. Nous rétablissons le texte du manuscrit, comme l'édition dite de l'Imprimerie nationale et plusieurs autres à sa suite.

2. *Dans le cas où* : « *dans le cas que* » dans la *Revue de Paris* et la première édition.

Page 59.

1. Ce détail était rapporté par la *Gazette des tribunaux* du 19 mars 1832 : « Voici une chandelle de trop, dit l'un des témoins. Il l'éteignit avec le souffle de ses narines. »

2. Juliette Drouet cite la fin de cette phrase – à partir de « car il avait » – en épigraphe d'une lettre à Victor Hugo et la commente ainsi (Juliette Drouet, *Lettres à Victor Hugo. 1833-1882*, Paris, Har-Po, 1985, p. 11-12) :

> Moi aussi j'ai de *mauvaises habitudes d'éducation* qui dérangent ma dignité naturelle plus souvent qu'il ne faudrait. C'est que moi aussi j'ai à me plaindre du sort et de la société, du sort parce qu'il m'a jetée dans une condition au-dessous de mon intelligence, de la société qui me retranche chaque jour de la portion d'amour et de bonheur que tu partages si généreusement avec moi, mon Albin bien-aimé. [...] Si je meurs avant le tems

[sic], je veux qu'on te porte mon cœur comme le pauvre Claude fit à Albin de son dernier morceau de pain, le dernier jour de sa vie.

3. « Ce mot, *gamin*, fut imprimé pour la première fois et arriva de la langue populaire dans la langue littéraire en 1834. C'est dans un opuscule intitulé *Claude Gueux* que ce mot fit son apparition. Le scandale fut vif. » Ces indications, que l'on pourra lire dans *Les Misérables* en 1862 (3ᵉ partie, livre 1ᵉʳ, chap. vii, « Le gamin aurait sa place dans les classifications de l'Inde »), valent plus comme lien entre les deux romans et comme généalogie de Gavroche que comme certification historique. Avant de l'employer dans *Claude Gueux*, Hugo lui-même avait évoqué, dès 1831, dans *Notre-Dame de Paris* « un groupe d'enfants, de ces petits sauvages va-nu-pieds qui ont de tout temps battu le pavé de Paris sous le nom éternel de *gamins*, et qui, lorsque nous étions enfants aussi, nous ont jeté des pierres à tous le soir au sortir de classe, parce que nos pantalons n'étaient pas déchirés » (livre 2ᵉ, chap. v). Mais le mot ne figure bien pour la première fois comme signifiant « petit garçon » que dans l'édition de 1835 du *Dictionnaire de l'Académie française*, et y est défini comme « populaire » et se disant « ordinairement, par mépris, des petits garçons qui passent leur temps à jouer et à polissonner dans les rues ».

Page 60.

1. *Jacques Clément*, moine dominicain fanatique, assassina le roi Henri III le 1er août 1589. D'après Emmanuel Buron, en note de son édition de *Claude Gueux* (Le Livre de Poche, coll. « Les Classiques d'aujourd'hui », 1995), la comparaison « repose sur le fait que Claude Gueux et Jacques Clément se sont soumis de plein gré à un martyre assuré pour abattre le représentant d'un pouvoir qu'ils jugeaient illégitime ». De là à y voir l'indice de « l'inspiration finalement chrétienne du récit », il y a un glissement auquel nous ne nous associerons pas. Ou alors il faudrait considérer comme

indice d'une inspiration catholique le rapprochement opéré précédemment : « c'était une sorte de pape captif, avec ses cardinaux ». Comparaison déjà esquissée dans *Notre-Dame de Paris* (livre 2e, chap. VI), notait Paul Savey-Casard, à propos de Clopin Trouillefou, roi de la Cour des miracles : « Au milieu de la Table Ronde de la gueuserie, Clopin, comme le doyen de ce sénat, comme le roi de cette pairie, comme le pape de ce conclave, dominait de toute la hauteur de son tonneau ». Rappelons aussi, dans *Lucrèce Borgia* (acte II, première partie, scène IV), l'année précédente, l'apostrophe de Don Alphonse d'Este à Doña Lucrezia, « J'ai horreur de votre père qui est pape […] ; de votre père qui peuple le bagne de personnes illustres et le sacré collège de bandits, si bien qu'en les voyant tous vêtus de rouge, galériens et cardinaux, on se demande si ce sont les galériens qui sont les cardinaux et les cardinaux qui sont les galériens ! » (« Folio théâtre », p. 116).

2. *L'avant-quart*, selon le Dictionnaire Littré de 1863, est le « coup que quelques horloges sonnent quelques minutes avant l'heure, la demie et le quart. L'avant-quart, dans les horloges publiques, répond presque toujours à une division particulière de l'heure et a pour objet de permettre de faire, à l'heure précise, ce qui doit y être fait ».

Page 61.

1. *On le tutoie* : l'article 24 du règlement du 30 avril 1822 concernant les gardiens stipulait pourtant :

> Il leur est expressément défendu d'injurier les détenus, de les tutoyer et d'exercer envers eux la moindre violence. Ils doivent aussi s'abstenir d'avoir avec eux la moindre conversation : ils ne peuvent leur adresser la parole et répondre que relativement au service ; le tout sous peine d'être mis à la salle de discipline, ou suspendus de leurs fonctions et privés de leur traitement pendant huit jours, selon la gravité des cas. Ils ne peuvent infliger aux détenus aucune punition, ni se servir de

leurs armes contre eux, qu'au cas de révolte ou pour leur légitime défense, sous peine de destitution, et sans préjudice des poursuites judiciaires, s'il y a lieu.

Page 63.

1. La *Gazette des tribunaux* du 19 mars 1832 notait : « Delacelle tombe sur le métier, le crâne horriblement ouvert par trois coups portés dans la même plaie. Un quatrième fend la figure en deux. [...] et le sang coule de la cuisse par une profonde et dernière blessure. »

2. La *Gazette des tribunaux* du 19 mars 1832 avait écrit : « "À mon tour. " [...] Il se frappe à coups de ciseaux, disant avec un accent de rage : "Cœur de cochon, je ne te trouverai donc pas". Il tombe enfin sans connaissance, baigné de son sang et près de sa victime. »

3. *Instrumenter* consiste à « faire des contrats, des procès-verbaux [...] et autres actes publics » (*Dictionnaire de l'Académie française*, 1835).

Page 64.

1. « Depuis six semaines, on soigne, on nourrit, on engraisse pour ainsi dire, un homme que l'on a voué à la mort et qui n'appartient plus qu'au bourreau. N'est-ce pas là multiplier son supplice [...] ? » (*Gazette des tribunaux* du 6 mai 1832.)

2. « L'enceinte et les avenues mêmes du palais [de justice] regorgent d'une *foule* avide d'émotions. » (*Gazette des tribunaux* du 19 mars 1832.)

3. Les *baïonnettes* sont des armes pointues qui s'ajustent au bout du fusil, et que l'on peut en retirer à volonté, mais, à l'époque, on emploie quelquefois le mot au figuré pour désigner des « hommes d'infanterie sous les armes, prêts à combattre » (*Dictionnaire de l'Académie française*, 1835).

4. La *Gazette des tribunaux* du 19 mars 1832 souligne « le déploiement de forces rendu nécessaire [...] par la présence de dix *témoins* amenés de Clairvaux ».

5. Le *pouvoir discrétionnaire* était la « faculté donnée à un juge, et particulièrement au président d'une cour d'assises, d'agir, en certains cas, selon sa volonté particulière, mais avec sagesse et modération » (*Dictionnaire de l'Académie française*, 1835).

Page 65.

1. Une voix « *bien ménagée* » est une voix bien conduite dont un chanteur, par exemple, « tire tout le parti qu'il peut en tirer » (*Dictionnaire de l'Académie française*, 1835).

Page 66.

1. L'*article 296* du Code pénal en vigueur à l'époque du procès stipule que « tout meurtre commis avec préméditation ou par guet-apens est qualifié assassinat ». Comme, selon les termes de l'article 302, « tout coupable d'assassinat, de parricide, d'infanticide et d'empoisonnement sera puni de mort », Claude encourt la peine capitale. La *Gazette des tribunaux* du 19 mars 1832 indique qu'il est accusé de « meurtre avec préméditation et guet-apens, étant en état de récidive », situation qui « appelle inévitablement sur sa tête la peine de mort ».

2. *Regard fier* · « Il lutte […] avec une sauvage éloquence », notait la *Gazette des tribunaux* du 19 mars, qui, « à chaque instant, arrache à l'auditoire de ces mouvements prolongés si précieux pour un orateur et que l'accusé semble suivre avec orgueil ».

3. *Discours* […] *cité en entier* : ironie à l'égard de l'inconsistance du réquisitoire, puisque, loin d'avoir cité intégralement ce discours qualifié plus haut de « mémorable », Hugo n'en a reproduit que les premières lignes, comme si elles suffisaient à laisser deviner le caractère conventionnel du développement.

4. « J'ai juré vengeance, car j'étais provoqué, provoqué pendant six ans à toute heure du jour. […] Ils m'ont tué à coups d'épingle. » (*Gazette des tribunaux* du 19 mars 1832.)

Page 67.

1. On appelait *mouchard* « un espion de police » (*Dictionnaire de l'Académie française*, 1835).

2. *Mouvement sublime* : la *Gazette des tribunaux* du 19 mars évoque des élans de Gueux « qu'on voudrait dire sublimes ».

3. *Provocation morale* : les meurtres n'étaient excusables et justiciables d'une peine réduite à un emprisonnement d'un à cinq ans (article 326) que s'ils avaient été « provoqués par des coups ou des violences graves » (article 321), « commis en repoussant l'escalade ou l'effraction des clôtures » (article 322), « commis par l'époux sur l'épouse ainsi que sur le complice à l'instant où il les surprend en flagrant délit d'adultère dans la maison conjugale » (article 324). La « théorie de la provocation morale » avait en effet été « oubliée par la loi »… jusqu'à celle du 28 avril 1832, postérieure au procès mais antérieure au récit de Hugo. Celle-ci enregistre « l'extension des circonstances atténuantes à tous les cas », contre l'avis de quelques cours qui auraient voulu « excepter les crimes atroces, comme le parricide, l'assassinat, l'empoisonnement ». Consultée, la commission des lois de la Chambre des députés « a pensé qu'il n'y avait pas de crimes dont, dans des circonstances rares sans doute, l'atrocité ne pût être atténuée par l'entraînement de la passion, la légitimité de la vengeance, la violence de la provocation morale, ou d'incompréhensibles égarements de la raison » (*Collection complète des lois, décrets, ordonnances, règlements, et avis du Conseil d'État*, t. XXXI).

4. *Tout cela était vrai* : si l'on considère la compagne de Claude comme fille publique parce qu'elle l'est devenue, une fois Claude emprisonné. Façon pour Hugo de montrer combien peut être trompeur ce résumé qu'il qualifie ironiquement d'impartial et lumineux. Impossible de rendre la justice si l'on détache les faits de leurs causes et de leur contexte.

5. Allusion au proverbe « Quatre-vingt-dix-neuf moutons et un *Champenois* font cent ».

Page 68.

1. *L'accusé s'appelait Gueux* : « Gueux se dit, particulièrement, d'une personne qui n'a pas de quoi vivre selon son état, selon ses désirs, [...] de celui qui demande l'aumône, qui fait le métier de quémander » et « signifie, quelquefois, coquin, fripon. *Ne vous fiez pas à cet homme-là, c'est un gueux.* » (*Dictionnaire de l'Académie française*, 1835.) Sur l'ambiguïté du mot, voir aussi notre Préface, p. 8.

2. « Il déclare qu'il ne se pourvoira ni en grâce ni en *cassation.* » (*Gazette des tribunaux* du 19 mars 1832.)

3. En 1863, dans *Victor Hugo raconté par un témoin de sa vie* (chap. LIII, « La suite du *Dernier Jour d'un condamné* »), Adèle Hugo reproduira le texte d'une lettre adressée « à M. Delaunay, rue Joubert, 28 » et signée « Sœur Louise », qu'elle dit avoir trouvée « dans un dossier de papiers relatifs à *Claude Gueux* ». Donnant la date exacte de l'exécution, vendredi 1er juin, et non samedi 8 comme l'écrit Hugo, cette lettre ne fait pas état de ce qui concerne le pourvoi en cassation signé « au dernier moment, quelques-uns disent même après le délai légal » et qui a toute chance d'être venu à la connaissance de Hugo par la *Gazette des tribunaux* du 11 avril 1832. Mais celle-ci le présente comme résultant d'« instances parties de haut ». Il est aussi question dans la lettre d'une somme non précisée envoyée par M. Delaunay au prisonnier mais restée avec l'approbation de celui-ci entre les mains de Sœur Louise : « Il en a disposé, écrit-elle, en faveur de deux détenus condamnés aux travaux forcés à perpétuité et donné le reste à une de ses sœurs. » Aucun rapport, semble-t-il, avec la pièce de cinq francs ici évoquée, que l'on va retrouver le jour de l'exécution et dont Hugo a relaté vraisemblablement l'histoire d'après la *Gazette des Tribunaux* du 15 juin 1832.

4. La *Gazette des tribunaux* du 11 avril 1832 fait état

de ces trois outils – *l'anse, le fil de fer et le clou* – mais non de leur restitution au *guichetier*.

5. *Pede claudo* : d'un pied boiteux, ainsi que le poète latin Horace caractérise la punition du meurtre, à la fin de la deuxième de ses *Odes* du livre III : « *Raro antecedentem scelestum / Deseruit pede Poena claudo.* » (« Rarement la Peine au pied boiteux a manqué d'atteindre le scélérat qui fuit devant elle. ») Cette sorte d'épithète homérique semble avoir frappé Hugo qui y avait fait allusion, en 1830, dans *Hernani* : « La vengeance est boiteuse ; elle vient à pas lents / Mais elle vient. » (acte II, scène III, v. 616-617, « Folio théâtre », p. 85.)

Page 69.

1. « Vendredi dernier à sept heures du matin, on lui a dit que son *pourvoi* en grâce était *rejeté*, et qu'il fallait se préparer à mourir. » Hugo a retenu l'heure indiquée par la *Gazette des tribunaux* du 15 juin 1832 mais non le jour.

2. *Je dormirais encore mieux la prochaine* : ces paroles rappellent la réponse, dans *Marion de Lorme* (acte V, scène III), de Didier à son ami Saverny, condamné à mort comme lui, qui se plaignait d'avoir mal dormi, tant son lit était dur : « Quand vous serez mort, mon ami, votre couche / Sera plus dure encor, mais vous dormirez bien. / Voilà tout. » (*Œuvres complètes*, *Théâtre*, t. I, éd. « Bouquins », *op. cit.*, p. 804.)

3. C'est un gardien, selon la *Gazette des tribunaux* du 11 avril 1832, que Claude invite, avec une « affreuse ironie », à n'avoir pas peur car, lui dit-il, « tu ne mourras pas du *choléra* ».

4. *Instruit dans la religion* : si Hugo a bien eu connaissance de la lettre de Sœur Louise à M. Delaunay, citée dans *Victor Hugo raconté par un témoin de sa vie*, avant d'avoir achevé la rédaction de *Claude Gueux*, ce dont on peut douter (voir p. 68, n. 3), la seule indication qu'il pourrait en avoir tiré est la consolation qu'elle y exprime d'avoir vu le condamné « accueillir avec des sentiments pleins de foi les secours de la religion ».

Page 70.

1. Lecture inexacte de la *Gazette des tribunaux* du 15 juin 1832 qui note « une foule immense pressée » sur le *passage* du condamné mais indique que l'exécution a eu lieu vendredi, contrairement à toutes les autres, fixées le samedi, « jour de marché où la foule est naturellement plus considérable ».

2. *Quand la société tue un homme* : première rédaction du manuscrit : « quand on tue un homme ».

3. *Le gibet du Christ* : le gibet est la « potence où l'on exécute ceux qui sont condamnés à être pendus » (*Dictionnaire de l'Académie française*, 1835). L'identification du crucifix à un gibet fonctionne comme une métaphore. Elle se prépare en conclusion de la préface de *Lucrèce Borgia*, datée du 12 février 1833 : « Attachez Dieu au gibet, vous avez la croix. » (« Folio théâtre », p. 41.) Hugo désignera fréquemment ensuite la croix comme gibet. Ainsi, pour défendre son fils Charles, en 1851 : « Oui, je le déclare, [...] cette loi du sang pour le sang, je l'ai combattue toute ma vie, [...] je la combattrai de tous mes efforts comme écrivain, de tous mes actes et de tous mes votes comme législateur, je le déclare *(M. Victor Hugo [...] montre le Christ qui est au fond de la salle, au-dessus du tribunal)* devant cette victime de la peine de mort qui est là, qui nous regarde et qui nous entend ! Je le jure devant ce gibet où, il y a deux mille ans, pour l'éternel enseignement des générations, la loi humaine a cloué la loi divine ! » (*Actes et paroles*, « Avant l'exil », dans le volume « Politique » des *Œuvres complètes* de Hugo, Robert Laffont, coll. « Bouquins », 1985, p. 312.) De même, dans sa lettre à Lord Palmerston, en 1854, déplore-t-il que « des nombreuses sectes chrétiennes qui se partagent les quarante mille habitants de Guernesey, trois ministres [du culte] seulement ont accordé leur signature » aux pétitions qui demandaient la grâce du condamné à mort Tapner. « Tous les autres, ajoute-t-il, l'ont refusée. Ces hommes ignorent probablement que

la croix est un gibet. Le peuple criait : grâce ! le prêtre a crié : mort ! Plaignons le prêtre et passons. » Au pasteur Bost de Genève il écrit en 1862 : « quand donc ceux qui lisent la Bible, comprendront-ils la vie sauve de Caïn ? quand donc ceux qui lisent l'Évangile comprendront-ils le gibet du Christ ? » (*Actes et paroles*, « Pendant l'exil », *ibid.*, p. 456 et 542.) Et rappelons le titre de la partie de *La Fin de Satan* qui relate la mise à mort de Jésus : « Le Gibet ».

4. *Le repoussa doucement* : « Arrivé sur l'échafaud, il a serré dans ses bras le vénérable prêtre qui l'assistait à cette heure suprême. Il a voulu embrasser aussi l'exécuteur, qui l'a repoussé doucement. » (*Gazette des tribunaux*, 15 juin 1832.)

5. « *Pour les pauvres* » est le titre d'un poème, daté du 22 janvier 1830, imprimé, d'abord sous le titre *L'Aumône*, et vendu à Rouen au profit des pauvres, publié par le journal *Le Globe* le 3 février, puis, en 1831, dans *Les Feuilles d'automne* (XXXII). Tout se passe comme si à l'appel lancé par Hugo aux riches et aux heureux, c'est un pauvre et un malheureux qui avait répondu. La source de Hugo semble bien la *Gazette des tribunaux* du 15 juin 1832 mais celle-ci rapporte ainsi le legs : « Il a donné pour ses anciens compagnons d'infortune une pièce de cinq francs qui lui restait. » La lettre de la Sœur Louise mentionnée plus haut (voir p. 485, n. 2) évoque une somme non précisée, envoyée par Delaunay et distribuée conformément aux instructions de Gueux. Ce legs semble avoir moins touché la sensibilité de Sœur Louise, qui n'est pas, en l'occurrence, la donatrice, que le don de la pièce de cinq francs celle de Hugo. Sœur Louise ajoute en effet : « Nous eussions désiré qu'il se fût réservé quelque chose pour se faire dire des messes après sa mort, mais il n'y a pas pensé et nous ne lui avons pas rappelé ! »

6. *Faillirent massacrer un employé* : la *Gazette des tribunaux* du 15 juin 1832 signalait seulement ceci : « Le terrible drame achevé, l'attention de la foule a changé d'objet ; la cherté toujours croissante des grains a excité

des murmures. Des propos sanguinaires auraient été, dit-on, tenus. Jusqu'à présent, cependant, la ville est parfaitement calme. »

Page 71.

1. *La société le met dans une prison* : « Gueux, à l'imagination ardente, aux passions vives, n'a pu respirer à l'aise dans le cercle étroit où la société l'a resserré. Il a brisé violemment ses liens. » (*Gazette des tribunaux*, 19 mars 1832.)

Page 72.

1. Ces trois derniers paragraphes servent de transition entre le texte de 1834 et ce qui va suivre, qui date de 1832.

2. Avec cette phrase commence la conclusion, reprise d'un texte écrit par Hugo en 1832, qui s'ouvrait ainsi : « Encore une exécution ! quand donc s'en lasseront-ils ? Est-ce qu'il n'y a pas en France un homme puissant qui en veuille à la guillotine ? Hé, Sire ! on a guillotiné votre père. » Ces lignes, qui faisaient allusion à l'exécution, le 6 novembre 1793, du père de Louis-Philippe, qui avait pourtant pris le nom de « Philippe Égalité » et même voté la mort de Louis XVI, ont été biffées sur le manuscrit. Le mot « exécution » était affecté d'un appel de note « (1) », renvoyant à une note inscrite en marge : « (1) Affaire de Cl. Gueux. Voir la *Gazette des tribunaux* du 19 mars 1832 ».

3. L'organisation de la Garde nationale résulte de la loi du 22 mars 1831. Georges Mouton, fait « *comte de Lobau* » par Napoléon en 1809, a été nommé par Louis-Philippe commandant de la Garde nationale et, en 1831, maréchal de France ; il allait être élevé en 1833 à la dignité de pair de France. Une note de l'édition chronologique des *Œuvres complètes* dirigée par Jean Massin (Le Club français du livre, t. V, 1967, p. 251) s'interroge ainsi : « Nous avouons ignorer pour quel motif V.H. manifeste cette animosité à l'égard du maréchal Mou-

ton comte Lobau, vieux soldat de la Révolution et de l'Empire. Est-ce seulement parce qu'il commandait en chef la garde nationale ? ou est-ce parce qu'il réprima une manifestation bonapartiste devant la Colonne de la place Vendôme le 5 mai 1831 ? » L'auteur de l'ode « À la colonne de la place Vendôme » de février 1827 (*Odes et Ballades*, livre 3e, VII) et de celle « À la colonne », datée du 9 octobre 1830 (mais encore inédite puisqu'elle ne paraîtra qu'en 1835 dans *Les Chants du crépuscule*) devait en effet en vouloir à celui qui n'avait pas hésité à recourir aux pompes à incendie pour éteindre l'ardeur des manifestants, ce qui lui valait d'être la cible de la presse satirique, comme le signale Flore Delain dans une note de l'édition GF Flammarion de *Claude Gueux* (coll. « Étonnants Classiques », 2002).

4. Le *carré Marigny*, quadrilatère en bordure des Champs-Élysées, servait de terrain d'exercice. Hugo et sa famille ont résidé à proximité, 9 rue Jean-Goujon, de mai 1830 à octobre 1832. Les Champs-Élysées, rappellera Adèle Hugo, « n'étaient pas à la mode alors et bâtis comme à présent ; ils n'avaient que de rares maisons dans de vastes terrains abandonnés aux maraîchers. On était loin de tout » (*Victor Hugo raconté par un témoin de sa vie*, chap. LVI, dans *Œuvres complètes*, éd. Massin, *op. cit.*, t. IV, p. 1189).

5. *Mon épicier, dont on a fait mon officier* : cette pointe serait-elle à mettre en rapport avec la déconvenue subie par Hugo en octobre 1830 ? Élu sous-lieutenant de la garde nationale de Paris, il avait été destitué de son grade par le général en chef. Il écrivit, le 7, à Froidefond des Forges, commandant le 4e bataillon de la 1re légion, une longue lettre de protestation, dont voici quelques extraits (*Œuvres complètes* éd. Massin, *op. cit.*, t. IV, p. 1009) :

> Le principe de tout grade dans la garde nationale, c'est l'élection. / Le pouvoir du général en chef lui-même est subordonné à l'élection, et aurait dû, selon moi, être soumis à la ratification des légions. [...] Une décision,

fût-elle du général en chef, fût-elle du roi, ne peut casser une élection. / Une élection est chose sacrée, irréfragable, souveraine. L'élection, principe actuel de tous les pouvoirs, ne dépend d'aucun. [...] / Voilà de grands principes à propos d'une petite affaire. Mais aujourd'hui tout se tient. Couronne du roi, épaulette du sous-lieutenant ont une consécration pareille, celle de l'élection. Elles émanent également de la souveraineté populaire.

Page 73.

1. Héroïne de tragédies d'Euripide, Sénèque et Racine, *Phèdre*, éprise de son beau-fils, est considérée comme incestueuse ; ce qu'est, à son insu, *Jocaste*, épouse de son propre fils, *Œdipe*, qui avait assassiné, lui aussi sans le savoir, son père ; ce couple est au centre de tragédies de Sophocle, Sénèque, Corneille, Racine et Voltaire. *Médée*, meurtrière de ses enfants pour se venger de l'infidélité de son époux Jason, est la protagoniste de tragédies d'Euripide, Sénèque et Corneille. *Rodogune*, dans la tragédie éponyme de Corneille, aspire à se venger de Cléopâtre qui a fait assassiner son époux et elle promet sa main au fils de celle-ci, Antiochus, s'il consent à tuer sa mère mais, Cléopâtre ayant fait mine de se repentir, Rodogune renonce à sa vengeance et c'est Cléopâtre seule qui, pour convaincre son fils de boire sans crainte à la coupe qu'elle lui offre, absorbe elle-même le poison qu'elle lui destinait.

2. Ce paragraphe et le suivant ne figurent pas dans le manuscrit. Ils ont été ajoutés en marge de la copie. À quelle date ? L'enjeu de la réponse à cette question n'est pas négligeable car Paul Savey-Casard fait remarquer que l'interpellation à la Chambre de Mauguin (apostrophé nommément un peu plus loin par Hugo), rapportée par *Le Moniteur* du 16 mars 1833, est « d'un style peu correct ». Il faudrait alors que le passage où sont mentionnées « les *fautes de français* » soit de 1834. De même, pour accréditer les commentaires de Jacques Seebacher (résumés par Guy Rosa dans son édition de

Claude Gueux, le Livre de Poche, 1995, p. 196) qui dia-
gnostiquent ici une référence à la discussion du budget
du Commerce et des Travaux publics (« dont dépendent
aussi bien les arts et lettres que les prisons centrales »),
le 6 mai 1834, où deux députés, « Vatout et Charle-
magne se distinguent contre les scandales et la licence
du théâtre ». Quant à Thiers, ministre de l'Intérieur, il
« menace de recourir à l'interdiction, comme il l'a fait
le 28 avril, après les troubles de Lyon et de Paris, pour
la reprise d'*Antony* d'Alexandre Dumas » (*Œuvres complètes, Roman*, t. I, éd. « Bouquins », *op. cit.*, p. 953).

3. *Taisez-vous* : dans le manuscrit de 1832, sa copie
de 1834, la *Revue de Paris* et la 1e édition, l'apostrophe
a été d'abord personnalisée au gré des circonstances :
« Taisez-vous, monsieur [Dupin (en surcharge, d'après
Jacques Seebacher, sur Périer)] Mauguin [manuscrit de
1834, *Revue de Paris* et 1re éd.], taisez-vous monsieur
[Mauguin (manuscrit de 1832), d'Argout (manuscrit
de 1834)] Thiers [*Revue de Paris* et 1re éd.] ! » François
Mauguin (1785-1854), avocat sous l'Empire, défenseur
en 1815 du colonel Labédoyère dont il ne put empêcher
la condamnation à mort, député de Beaune et un des
deux chefs de « l'opposition dynastique », réélu le 5 juillet 1831, le sera de nouveau le 21 juin 1834. Il avait
le soutien du général Lamarque. Son libéralisme avait
des limites puisqu'il combattra les projets d'abolition
de l'esclavage, et l'interpellation de Hugo restera sans
effet puisque, après l'avènement de la IIe République, à
l'Assemblée constituante, en 1848, il votera contre l'abolition de la peine de mort. Adolphe Thiers (1797-1877),
avocat, journaliste et historien, rallié en 1831 au parti
de la résistance (opposé à celui du mouvement), accède
au ministère de l'Intérieur le 11 octobre 1832, dans le
premier ministère Soult, est élu à l'Académie française
en 1833. Beaucoup plus tard, en 1871, en tant que chef
du gouvernement, il portera la responsabilité de la sanglante répression de la Commune. Dès la réédition de
Claude Gueux par Charpentier en 1845, l'apostrophe à

Mauguin et à Thiers a disparu, sans doute pour faire échapper le texte à un aspect circonstanciel.

4. *Eustache* : « Sorte de couteau grossier, dont le manche est ordinairement de bois, et dont la lame n'est pas assujettie par un ressort. » (*Dictionnaire de l'Académie française*, 1835.)

5. Ces trois *exécutions* sont relatées dans la préface datée du 15 mars 1832 pour *Le Dernier Jour d'un condamné*. Celle que Hugo y situait, de mémoire, fin septembre 1831 à Pamiers (au lieu du 12 septembre à Albi, en réalité, précise Jacques Seebacher qui en a trouvé le récit dans la *Gazette des tribunaux* du 19 septembre 1831) date donc de bien plus d'un an auparavant lorsque paraît *Claude Gueux*, en 1834 ; celle de Dijon, qu'il situait trois mois avant mars 1832, date de fin 1831. Or, dans le fragment intégré à *Claude Gueux*, Hugo avait d'abord écrit : « On vient de déchiqueter un homme à Pamiers » ; il n'a ajouté qu'ultérieurement entre « vient » et « de déchiqueter », au-dessus de la ligne, « il y a un an à peine », et il a biffé « On » pour le remplacer par « la justice ». L'addition supralinéaire semble un indice d'une première rédaction de ce passage qui serait moins éloignée encore de la première des exécutions évoquées, donc antérieure à ce mois de septembre 1832 dont on le date sur la base de cette année « à peine » qui le séparerait d'elle.

6. Il a fallu, indique Jacques Seebacher (note de l'édition des *Œuvres complètes*, *Roman*, t. I, éd. « Bouquins », *op. cit.*, p. 953), « une ordonnance royale (29 septembre 1831, promulguée le 15 octobre) » pour décider que les *boutons de la garde nationale* seraient « de métal blanc, portant une grenade au milieu et autour la légende Liberté, Ordre public, du diamètre les grands de 23, les petits de 15 millimètres ». C'est le 15 août 1831 que le garde des Sceaux, Félix Barthe, s'est opposé au vote d'un amendement proposé par le député Bignon, faisant état de la *certitude* « que la nationalité de la Pologne ne périra pas » ; un autre député, Félix Bodin, appuyé par

le président du Conseil, Casimir Périer, a proposé de substituer à la certitude l'espérance ; le lendemain, le ministre des Affaires étrangères, Horace Sébastiani, parvenait à faire s'accorder Bignon et la majorité de la Chambre sur une *assurance* après avoir écarté l'article défini jugé encore trop déterminé. Le *Journal des débats* rapporte toutes ces discussions mais en justifie la subtilité en y voyant le reflet du vœu majoritaire de ne pas s'orienter vers une guerre en faveur de la Pologne.

Page 74.

1. *Que vous l'appeliez république ou [...] monarchie* : cette relative indifférence au régime s'inscrit dans la ligne de la préface à *Littérature et Philosophie mêlées*, où Hugo préconisait « la substitution des questions sociales aux questions politiques ».

2. *La flétrissure*, qui « se dit, en matière criminelle, de la marque d'un fer chaud, imprimé par ordre de justice sur l'épaule d'un criminel » (*Dictionnaire de l'Académie française*, 1835), vient d'être abolie par la loi du 28 avril 1832. Chez les Romains, elle était imprimée sur le front, puis, à partir de Constantin, sur la main ou sur la jambe. Le *Répertoire universel et raisonné de jurisprudence* indique, en 1826, qu'« en France, on imprimait autrefois une fleur de lis sur l'épaule des criminels ; aujourd'hui on marque les voleurs d'un V et ceux qui sont condamnés aux galères des trois lettres GAL ». Il signale que la peine de la flétrissure, abolie par le Code pénal du 25 septembre 1791, a été rétablie « pour les cas de récidive, pour le faux, et pour la menace d'incendie » en 1806 et que, d'après le Code pénal de 1810, « quiconque aura été condamné à la peine des travaux forcés à perpétuité sera flétri sur la place publique, par l'application d'une empreinte avec un fer brûlant, sur l'épaule droite ».

3. *Un vésicatoire* (terme de médecine) : « fait venir des ampoules, détermine le soulèvement de l'épiderme. [...] Il se dit, par extension, de la plaie causée par l'ap-

plication du vésicatoire » (*Dictionnaire de l'Académie française*, 1835). – *Laisse résorber* : on dirait aujourd'hui « se résorber », c'est-à-dire être absorbé.

Page 75.

1. *Farinace* : Prospero Farinacci (1554-1618), auteur d'un traité des supplices (*De suppliciis*) et procureur sous les pontificats de Clément VIII et Paul V, est souvent un des premiers noms qui viennent sous la plume de Hugo comme emblématiques de la pénalité féroce des temps passés ; déjà dans la préface de 1832 pour *Le Dernier Jour d'un condamné* (« La torture a disparu. La roue a disparu. La potence a disparu. Chose étrange ! la guillotine elle-même est un progrès. / M. Guillotin était un philanthrope. / Oui, l'horrible Thémis dentue et vorace de Farinace et de Vouglans [...] dépérit »). Son nom reviendra dans *Les Contemplations* (livre 6e, XXVI, « Ce que dit la bouche d'ombre », v. 271, « Poésie/Gallimard », p. 394) et dans *La Légende des siècles* (XXIX, « Mansuétude des anciens juges », v. 13, et L, « L'Élégie des fléaux », v. 81, « Poésie/Gallimard », p. 526 et 740).

2. *Il se coupe trop de têtes* : le nombre des condamnations à mort en France, après avoir diminué sensiblement depuis les débuts de la Restauration où plus de 500 ont été prononcées en 1816 et 1817 jusqu'à 1829 où l'on en comptait 89, remonte un peu en 1830 (92) et 1831 (105), sans que cela affecte la décroissance parallèle de celui des exécutions capitales : 111, par exemple, sur 156 condamnations à mort, en 1826 ; 60 sur 89, en 1829 ; 38 sur 92, en 1830 ; 25 sur 105, en 1831. En revanche, en 1832 le mouvement s'inverse : sur 90 condamnations à mort, 41 sont exécutées (chiffres fournis par Adolphe Chauveau et Faustin Hélie en 1837 dans *Théorie du code pénal*, Legrand et Descauriet, p. 36).

3. Selon un rapport d'avril 1834, les trois cinquièmes des moins de vingt ans ne savaient pas lire.

4. *Tâtez tous ces crânes* : « Plus l'angle du profil est aigu, plus l'être ainsi conformé tiendra de l'animal »,

pouvait-on lire dans *L'Art de connaître les hommes par la physionomie* (1775-1778) de Johann Kaspar Lavater (1741-1801), ouvrage fondateur de la physiognomonie. Déceler les facultés et les penchants des hommes par la palpation des reliefs du crâne était une des visées majeures de la phrénologie, fondée par Franz Joseph Gall (1758-1828).

Page 76.

1. *L'angle facial* est « l'angle formé par la réunion de deux lignes, l'une verticale que l'on suppose passer par les dents incisives supérieures et par le point le plus saillant du front, l'autre horizontale qu'on suppose tirée du conduit de l'oreille aux mêmes dents incisives. *On a cherché à déterminer le degré d'intelligence des individus d'après le degré d'ouverture de l'angle facial. Chez les animaux l'angle facial est moins ouvert, est plus aigu que chez l'homme.* » (*Dictionnaire de l'Académie française*, 1835.)

2. *Le Compère Mathieu ou les Bigarrures de l'Esprit humain* (1766) est une œuvre d'Henri-Joseph Laurent dit Du Laurens (1719-1793). Elle « se compose de trois livres, présentés comme les Mémoires du narrateur, Jérôme. [...] Trois Normands, un Hollandais et un Espagnol font le tour de la terre [...]. Formant une petite société d'esprits forts, dirigée par le Compère Mathieu et le Père Jean, ils [...] confrontent en chemin la réalité avec leurs théories respectives. [...] Face aux idées radicales du Compère Mathieu et du Père Jean, [...] Jérôme, le narrateur, tente le plus souvent de trouver une voie moyenne [...]. Le scepticisme de Du Laurens s'étend jusqu'aux idées sceptiques mêmes, et, s'il se moque des préjugés, il n'épargne pas non plus les philosophes » (J. Roumette, dans *Dictionnaire des Œuvres littéraires de langue française*, Bordas, 1994, t. I, p. 394). Du Laurens fut condamné à la prison à perpétuité en 1767 et mourut dans le couvent surveillé de Marienborn.

3. *Le Constitutionnel* est un quotidien politique français, fondé à Paris en 1815, pendant les Cent-Jours sous

le titre *L'Indépendant*, qui n'a pris son titre définitif que sous la Seconde Restauration. Organe de ralliement des libéraux, des bonapartistes et des anticléricaux, il est supprimé cinq fois et reparaît à chaque fois sous des titres différents. Il paraît depuis le 2 mai 1819 avec le sous-titre « Journal du commerce, politique et littéraire ». Premier quotidien français devant le *Journal des débats* en 1830, il tire alors à 20 000 exemplaires. Son lectorat est plutôt bourgeois. – *La Charte de 1830* est l'ensemble des lois constitutionnelles adopté après la Révolution de 1830 qui a mis fin à la monarchie absolue.

4. *Le sort de la grande foule* [...] *sera toujours* [...] *pauvre, et malheureux, et triste* : c'est contre une telle résignation que s'élèvera Hugo, élu député, dans son discours du 9 juillet 1849 à l'Assemblée législative de la IIe République : « [...] je suis de ceux qui pensent et qui affirment qu'on peut détruire la misère. [...] je ne dis pas diminuer, amoindrir, limiter, circonscrire, je dis détruire. [...] Les législateurs et les gouvernants doivent y songer sans cesse ; car, en pareille matière, tant que le possible n'est pas fait, le devoir n'est pas rempli. » (*Actes et Paroles, Avant l'exil, dans Œuvres complètes, Politique*, éd. « Bouquins », *op. cit.*, p. 204.)

Page 77.

1. *Cette tête de l'homme du peuple,* [...] *pas besoin de la couper* : la *Gazette des tribunaux* du 19 mars 1832 tirait le même genre de conclusion du cas de Claude Gueux. Voir notre Préface, p. 27-28

CLAUDE GUEUX

DOSSIER

DU MÊME AUTEUR

Dans la même collection

LES CONTEMPLATIONS. *Préface de Baudelaire. Édition de Pierre Albouy.*

Composition Nord Compo
Impression Novoprint
à Barcelone, le 28 avril 2021
Dépôt légal : avril 2021
1ᵉʳ dépôt légal dans la collection : mai 2018

ISBN 978-2-07-269996-2./Imprimé en Espagne.